Littérature d'Amérique

Collection dirigée par
Normand de Bellefeuille et
Isabelle Longpré

D1274932

Mal élevé

Du même auteur

Un petit pas pour l'homme, Montréal, Québec Amérique, collection Littérature d'Amérique, édition originale 2004, collection compact 2004.

• Grand Prix de la relève littéraire Archambault 2004.

Stéphane Dompierre
Mal élevé

roman

QUÉBEC AMÉRIQUE

**Catalogage avant publication de Bibliothèque et Archives
nationales du Québec et Bibliothèque et Archives Canada**

Dompierre, Stéphane
Mal élevé
(Littérature d'Amérique)
ISBN 978-2-7644-0325-9

I. Titre. II. Collection: Collection Littérature d'Amérique.

PS8557.O495M34 2007 C843'.6   C2007-940483-9
PS9557.O495M34 2007

Conseil des Arts   Canada Council
du Canada   for the Arts

SODEC
Québec

Nous reconnaissons l'aide financière du gouvernement du Canada
par-l'entremise du Programme d'aide au développement de l'industrie
de l'édition (PADIÉ) pour nos activités d'édition.

Gouvernement du Québec – Programme de crédit d'impôt pour
l'édition de livres – Gestion SODEC.

Les Éditions Québec Amérique bénéficient du programme de subvention
globale du Conseil des Arts du Canada. Elles tiennent également à
remercier la SODEC pour son appui financier.

L'auteur remercie le Conseil des arts et des lettres du Québec pour son
aide à l'écriture de ce roman.

Québec Amérique
329, rue de la Commune Ouest, 3e étage
Montréal (Québec) Canada H2Y 2E1
Téléphone: 514 499-3000, télécopieur: 514 499-3010

Dépôt légal: 2e trimestre 2007
Bibliothèque nationale du Québec
Bibliothèque nationale du Canada

Mise en pages: Andréa Joseph [PageXpress]
Révision linguistique: Diane Martin
Conception graphique: Isabelle Lépine

Imprimé au Canada

Sur le siège l'exemplaire de mon livre était toujours là. Mon premier livre. J'ai trouvé un crayon, j'ai ouvert le livre à la page de garde et j'ai écrit :

> *À Camilla, avec tout mon amour*
> *Arturo*

Toujours avec le livre j'ai fait une centaine de pas vers le sud-est, là où tout n'était que désolation. De toutes mes forces je l'ai jeté le plus loin que j'ai pu dans la direction qu'elle avait prise. Sur ce, je suis monté en voiture, j'ai fait démarrer le moteur, et je suis rentré à Los Angeles.

John Fante,
Demande à la poussière

1.

Je décapsulais la première bière au moment où le lave-vaisselle a redescendu l'escalier. Il y a eu tout d'abord un léger grincement, signe que l'appareil se dégageait, coincé qu'il était entre le mur et la rampe depuis vingt minutes. Chacun se demandait quoi faire, personne ne bougeait. Le vacarme a débuté à l'instant où, puisque nous avions enlevé la porte pour avoir plus d'espace, le lave-vaisselle atteignait sans encombre le balcon et défonçait la balustrade en bois pourri. Et, ensuite, ce court instant de silence alors qu'il fendait l'air chaud, avant d'aller s'écraser un étage plus bas, dans un bruit délirant de métal tordu s'éparpillant dans tous les sens. Puis, de nouveau, le silence.

J'ai essuyé mes sourcils imbibés de sueur avec un coin de mon t-shirt, puis j'ai posé la bière sur une pile de boîtes. Peu pressé d'aller voir les dégâts.

L'escalier intérieur semblait en bon état, sauf pour quelques égratignures qui disparaîtraient sous une couche de peinture.

Je me suis risqué sur le balcon. En m'accrochant à ce qui restait de la balustrade, je me suis penché pour voir plus bas. Un attroupement se formait déjà autour des débris, on se donnait des coups de coude en me montrant du doigt. J'allais bientôt faire connaissance avec tout le quartier.

La BMW grise décapotable qui nous avait tant gênés pendant le déménagement était encore là, garée illégalement devant le garage.

Devant le garage et sous le lave-vaisselle.

Bonne nouvelle: il n'y avait personne dans la voiture. J'ai annoncé à Sandrine que nous allions devoir nous passer du cadeau de ses parents, ce qui, au fond, m'arrangeait, puisque l'inspiration m'arrive souvent lorsque je lave la vaisselle.

C'est ma mère qui me disait, le jour où elle s'est enfuie de la maison, qu'on réussissait toujours à extraire du positif des situations difficiles.

Une dame parlait au téléphone, appuyée sur le coffre de la voiture. Je me suis approché d'elle, bousculant quelques écornifleurs fascinés par les sièges en cuir défoncés, par la portière arrachée; la chose, tout de même, était spectaculaire. Rassuré de savoir qu'elle discutait avec un garagiste et non avec la police, j'ai attendu qu'elle termine son appel et je me suis présenté. Elle s'appelait Hélèna, et sa main était froide et molle.

L'incident ne semblait pas l'avoir bouleversée. À voir son visage, dont les orifices étaient désalignés à la suite de quelque chirurgie ratée, elle avait connu pire. M'observant par un de ses trous de nez, elle m'a expliqué qu'elle engueulait toujours son mari parce qu'il a l'habitude de garer sa voiture un peu n'importe où, illégalement ou pas, plus préoccupé d'arriver à l'heure à ses rendez-vous louches ou à leurs traitements au Botox qu'à respecter les lois. Sandrine, meilleure que moi en relations publiques, a pris ma relève pour converser avec la dame, avant que j'aie pu avoir des détails sur ces rendez-vous. J'imaginais une bande de malfrats défonçant le garage, y détruisant tous mes instruments de musique et me coupant une oreille avant de repartir. Hélèna nous a présenté, parmi la foule, le personnel et les habitués du café Vernazza, d'où elle arrivait.

Mattéo. C'est le seul dont je me suis rappelé le nom. Italien, cheveux mi-longs, sourire charismatique, yeux boulonnés aux seins de Sandrine. Il faut dire qu'elle avait la camisole trempée de sueur, ce qui permettait de distinguer jusqu'aux zones plus sombres des aréoles. J'ai suggéré à notre nouvel ami de retourner au café, ajoutant, en suivant son regard, qu'il n'y avait plus rien à voir ici.

Hélèna est partie à l'arrivée de la dépanneuse, après nous avoir répété qu'il n'y aurait aucun problème, que la voiture était assurée, oui, même contre un lave-vaisselle dont le parachute ne s'est pas ouvert. J'ai tiré Sandrine par le bras pour couper court à son offre généreuse de payer les frais. Pour ma part, je n'avais pas trente mille dollars à mettre là-dessus. Ni sur rien d'autre, d'ailleurs.

Daniel patientait en haut de l'escalier avec des bières fraîches. Par cette chaleur, les bouteilles se sont vidées en quelques gorgées. Sandrine a remercié tout le monde en m'envoyant des regards lubriques, m'incitant à abréger les festivités pour baptiser l'appartement.

Nous étions déjà nus lorsque Nicolas a fini de replacer la porte d'entrée. Il nous a lancé un « Salut, les amoureux » auquel Sandrine a été la seule à répondre, penchée vers l'avant, la culotte et le short baissés jusqu'aux chevilles, alors que je glissais ma langue sur sa fente humide et salée. « Mets-moi ta queue jusqu'au fond. » Quand c'est demandé si gentiment, j'obéis avec entrain.

Ce n'est qu'une fois rhabillés qu'elle m'a montré ce que nous avait laissé Hélèna : la carte professionnelle de son mari. Didier Lombard, des productions D. Lombard.

Eh merde.

Je me suis levé pendant la nuit, je transpirais tant que je me suis demandé si je n'avais pas pissé sur le matelas. Je me suis ouvert un chemin parmi les boîtes jusqu'à la cuisine pour boire un verre d'eau. J'ai bu de longues gorgées, puis j'ai observé la ruelle pour découvrir d'éventuels voisins à épier. Personne à cette heure.

Je me suis collé le nez sous un bras. Oui, c'est bien moi qui dégageais cette forte odeur d'oignons. J'ai cru pendant un instant que mon père se trouvait dans la pièce. Ça m'a fait grimacer.

J'avais envie de fumer, mais mon paquet de cigarettes se trouvait dans une des boîtes encore fermées. Il ne restait plus de bière. J'ai sorti la bouteille de vodka du congélateur et j'ai observé la feuille retenue au frigo par un aimant. Depuis quatre jours, je cherchais une rime avec « muscle » pour finir ce refrain. En inversant ceci et cela, j'en étais arrivé à chercher une rime avec « estomac », ce qui ne m'avançait pas du tout. Maudit soit l'imbécile qui a décrété qu'un texte de chansons doit rimer ! Qu'on le pende par le gland sur la place publique, qu'on le branche sur un iPod qui diffuse en boucle les albums de Wilfred Le Bouthillier ! Même Baudelaire, vers la fin de sa vie, s'est converti aux poèmes en prose. Les chansons pop ne sont plus que des reliefs d'une poésie surannée mais, bref, hop, puisqu'il faut gagner sa vie :

J'ai les muscles en inox
mais ton cœur qui me boxe
me secoue l'estomac
et me

Rien à faire.

Au milieu du murmure diffus de l'extérieur – rares voitures, bagarres de félins, bourdonnement d'un transformateur –, je distinguais un gémissement sourd, accompagné d'une musique de film pornographique. Ça provenait de l'étage du dessous.

J'ai fait le tour des pièces pour évaluer l'ampleur du travail qui nous attendait. Je n'avais jamais vu autant de boîtes à défaire. J'ai déplacé une table, un sac de vêtements, tout ça sans conviction. En signe d'impuissance, je me suis gratté les couilles.

Je suis retourné dans la chambre finir la nuit dans ma flaque de sueur refroidie.

☆ ☆ ☆

— T'aurais pas vu ma lampe chimpanzé?

Sandrine a relevé la tête – qu'elle avait dans une boîte, à la recherche d'un quelconque produit de beauté – en se replaçant une mèche de cheveux derrière l'oreille. Elle m'a décoché un de ses grands sourires louches en haussant les épaules. C'est tout ce que j'ai eu comme réponse. J'ai repris ma lutte gréco-romaine avec la bibliothèque en bois pâle non verni qui refusait de se tenir droite. Il semble que nous avions perdu, au cours du déménagement, une précieuse tige de métal qui reliait toutes ces planches ensemble. Ça, et ma lampe.

Je suis retourné faire du café, pour me calmer les nerfs, en me déplaçant lentement dans la cuisine parmi tous les ustensiles qui traînaient par terre. Alors que, pendant toutes ces années, j'avais su me débrouiller avec rien d'autre qu'une louche et un marteau, je possédais maintenant un presse-ail, un tamis, des pique-maïs et aussi cette chose-là, impossible de deviner ce que c'était. Sandrine est entrée dans la pièce en enlevant son chandail. « Dénoyauteur à olives », qu'elle m'a dit. Ah bon. Je l'ai mis là où je l'avais trouvé. Elle s'est débarrassée de son pantalon. « On fait une pause ? » J'ai dit « oui, oui ! » avant de glisser un de ses seins dans ma bouche en déboutonnant ma chemise. Elle s'est assise sur le comptoir, une fesse sur le dénoyauteur à olives. Elle l'a poussé par terre pendant que je baissais mon jeans. Le café attendrait.

À ce rythme, tout ranger prendrait des années. Et il y avait ensuite toutes les pièces à repeindre. Je l'ai pénétrée d'un coup, elle s'est accrochée à moi en me mordant une épaule.

☆ ☆ ☆

Le garage tout en blanc. Puisque c'était la seule pièce pour laquelle nous étions d'accord au sujet de la décoration, c'est la première que nous avons peinte.

Le prix de l'appartement, y compris le garage, nous avait paru tellement bas que c'en était suspect. Alors je m'étais renseigné. Le dernier locataire, un vieillard, y avait habité trente-six ans, en plus d'être un bon ami du propriétaire de l'immeuble. D'où les augmentations de loyer peu fréquentes. Voyant qu'il devenait de moins en moins autonome, ses enfants avaient décidé de l'abandonner dans un centre d'accueil. Voilà pour l'histoire officielle. Ça ne servirait à rien que Sandrine – qui croit aux fantômes – apprenne que l'octogénaire est mort d'un accident dans le garage, vidé de son sang, la main tranchée par une scie ronde. Son cadavre n'avait été découvert que trois jours plus tard, preuve qu'il avait fait un bon travail en insonorisant les murs. C'était d'ailleurs ce qui m'avait attiré ici : la possibilité de transformer le garage en local de répétition, de ne plus avoir à fréquenter des studios glauques et mal chauffés à des kilomètres de chez moi. J'ai fait promettre au propriétaire de l'immeuble de taire la tragédie à Sandrine et, pour ma part, je ne lui dirai rien, sauf, peut-être, sous la torture (Wilfred Le Bouthillier).

Ne reste plus de lui qu'une odeur de pipe incrustée dans les murs et une immense tache sombre sur le plancher.

> *J'ai les muscles en inox*
> *mais ton cœur qui me boxe*
> *me secoue l'estomac*
> *et me sort du coma.*

Mauvais.

Indéniablement mauvais. Cette chanson était minée par un cancer qui se répandait dans la moindre de ses syllabes. Je trouvais chacune de ses phrases insignifiante, la mélodie, mièvre. J'ai froissé la feuille jusqu'à en faire une boule et j'ai visé la poubelle : elle tombe dedans, je l'oublie ; elle tombe à côté, je continue.

Sandrine passait et repassait devant moi. J'étais fasciné par ma découverte : les filles sont capables de faire cinq choses à la fois. Tout en parlant au téléphone, elle fouillait dans les boîtes à la recherche d'objets qu'elle rangeait dans la salle de bain, cherchait l'horaire d'un film sur Internet et regardait comment sa nouvelle blouse soulignait ses seins dans le grand miroir du corridor. Elle a retiré son soutien-gorge, sans se débarrasser de sa blouse ni interrompre la conversation. Elle a ramassé la boule de papier tombée par terre et en a lu le texte. Elle a grimacé avant de mettre la feuille aux poubelles. Je me suis tout de suite senti mieux, j'ai ouvert une bière pour fêter ma libération. Sandrine s'appliquait du rouge à lèvres en observant ses fesses dans le miroir. Elle a posé une main sur le téléphone, pour que Fred ne l'entende pas me demander : « Trouves-tu que j'ai un gros cul là-dedans ? »

Ce n'est pas tant la réponse à cette question qui importe – il n'y en a qu'une seule – que le temps mis à y répondre. D'un air étonné, dans le délai acceptable d'un millième de seconde, je lui ai fait comprendre qu'elle était folle de se questionner ainsi : « T'es complètement bandante. » Pour quelqu'un qui n'avait jamais vécu en couple, je me débrouillais plutôt bien.

Elle a noté les dates des spectacles que notre imprésario nous avait dénichées, ainsi que les cachets. J'ai constaté, en regardant par-dessus son épaule, que notre valeur marchande n'était pas à la hausse. Elle m'a retenu par le bras ; Fred voulait me parler. J'ai fait de grands signes en me libérant, non non, je n'y suis pas. Les conversations au sujet des chiffres m'agacent. « Je te le passe. » Elle s'est accrochée à ma ceinture alors que je tentais de fuir dans une autre pièce. Les filles gagnent toujours. Pour qui veut vivre avec une d'entre elles, c'est la seule chose importante à savoir.

Elle a déposé un chaste baiser sur ma joue avant de partir. J'ai laissé le téléphone sur un fauteuil, le temps d'aller goûter ses lèvres sur le pas de la porte. J'ai bu deux grandes gorgées de bière, puis j'ai parlé à Fred. Il m'a assuré que notre dernière maquette était dans tous les bureaux des étiquettes de disques de la ville, que les réponses ne sauraient tarder. Que nous allions signer un contrat de disque bientôt. De ne pas m'inquiéter. De laisser le temps accomplir son ouvrage. Mieux vaut tard que jamais. Pas de nouvelles, bonnes nouvelles. Ce genre d'idioties. Il m'a ensuite demandé ce que je pensais de Marie-Jeanne. Je n'en pensais rien. Une autre chanteuse sans talent qui devrait se faire écrire de meilleures chansons.

Fred m'a annoncé ce qu'il croyait être une grande nouvelle : elle cherchait des auteurs-compositeurs pour son troisième album. Il connaissait son imprésario. « Tu devrais saisir l'occasion et lui envoyer un truc vraiment pop, blablabla, opportunité, blablabla, ne pas manquer une chance pareille, blablabla. » Je lui ai promis d'y réfléchir, puis je me suis excusé, j'avais quelque chose sur la cuisinière qui débordait, il fallait que j'aille voir, pire, le feu semblait pris dans la cuisine mais je ne pouvais pas en être sûr, le fil du téléphone ne se rendait pas, on se rappelle, promis, demain ou le jour suivant ou celui d'après ou. J'ai lancé le sans-fil sur le fauteuil avant d'aller terminer ma bière sur le balcon.

Tranquille.

Enfin, presque. J'ai pensé à Marie-Jeanne, trois cent mille copies vendues par album au Québec. Partie vivre en France. Succès énorme dans tous les pays francophones. Il lui suffit de changer de coiffure pour apparaître en couverture de tous les journaux à potins. Une seule de mes chansons interprétée par elle et ma valeur marchande atteindrait des sommets.

J'ai appliqué la deuxième couche de bleu dans la salle de bain. En attendant l'inspiration.

«Quand on vit à deux, c'est important qu'on ait chacun son côté du lit. Pour éviter qu'on se retrouve avec le cadran de l'autre qui nous réveille pour rien, pour pas avoir à chercher nos livres de chevet, tout ça.»

Je la regardais sans savoir quoi dire. Elle m'a demandé d'y penser. Je me suis plutôt caché dans une autre pièce pour appeler Daniel: «Effectivement, les filles sont catégoriques là-dessus. Il faut que tu choisisses un côté du lit, mon vieux. Si tu veux lui faire plaisir, prends celui du côté de la porte de chambre. Elle va se sentir protégée, si jamais un voleur entre chez vous.» Ah bon.

Je suis retourné voir Sandrine et je lui ai dit que j'avais décidé. Elle m'a guidé jusqu'au lit en me tenant par la main. Je lui ai montré mon choix, le côté le plus près de la porte. Elle a souri en approuvant, ravie de savoir que c'est moi qui me prendrais le poignard dans le ventre en cas d'agression. Elle a pu disposer son réveil, une pile de livres, un calepin, des stylos, une boîte de papiers mouchoirs, un carton plastifié d'examen mammaire et quelques crèmes en pots sur, sous, dans et autour de sa table de chevet.

Elle a posé un chien grisâtre et difforme de son côté du lit. Il me regardait piteusement de son œil encore valide. À trente-deux ans, j'allais partager mon lit avec une saleté en peluche.

☆ ☆ ☆

J'ignore si c'est l'odeur du café ou les bruits qui m'ont réveillé, mais c'était samedi et je n'avais pas l'intention de me lever si tôt. J'ai tâté l'autre côté du lit, Sandrine n'y était pas. Puis, sentant une présence dans la chambre, j'ai tourné la tête pour constater que Laurie était là, à me regarder le derrière comme s'il était à vendre. J'ai grogné, cherchant à tâtons les couvertures sans rien trouver, le soleil dans les yeux, essayant de comprendre ce qu'elle faisait là. Puis Francis est venu la rejoindre, suivi de Manu, qui s'est empressé de sortir un appareil photo de son sac en bandoulière pour immortaliser le moment. Mes fesses, en gros plan. J'ai lancé les deux oreillers sans faire de victimes.

Je me suis retrouvé je ne sais trop comment dans le garage. À moitié habillé, une grande tasse de café à la main et ma guitare au cou. Trente secondes pour me rendre au local de répétition, alors qu'avant j'en avais pour une heure à voyager dans la chaleur étouffante du métro, un étui de guitare dans chaque main, pressé de questions par des néophytes curieux à l'haleine pas toujours fraîche. Et, enfin, je pouvais boire du vrai café. Rien à voir avec celui de la distributrice à l'entrée de notre ancien local, un arrache-tripes amer dans lequel une étrange poudre blanche tenait lieu de crème.

Chacun était absorbé dans ses préparatifs. Manu tournait autour de sa batterie et ajustait la hauteur des cymbales, resserrait la peau de la caisse claire, montait et descendait son banc. Francis sortait un disque de sa pochette, écoutait un extrait, faisait quelques *scratches*, ses écouteurs appuyés sur l'épaule, puis choisissait un autre disque dans sa caisse en plastique rose. Laurie, assise sur son amplificateur, s'échauffait en enchaînant des gammes et des arpèges, une cigarette pendante à ses lèvres. Sandrine révisait quelques textes, pieds nus sur son carré de tapis orange. J'observais la scène sans rien dire, témoin d'un moment privilégié alors que chaque musicien, replié sur lui-même, se met peu à peu au diapason du reste du groupe.

Nous avons joué quelques vieilles chansons pour vérifier la qualité sonore du nouveau local. Nous savions d'expérience qu'il vaut mieux prendre le temps de placer chaque chose au bon endroit dès la première répétition pour gagner du temps ensuite. Trouver le meilleur angle pour bien entendre les amplificateurs. Ensuite, s'il le faut, déplacer la batterie. Puis tout reprendre du début parce que l'équilibre fragile vient d'être rompu, que les instruments s'entremêlent en un indéfinissable chaos. Nous avons recommencé jusqu'à ce que tous les instruments fusionnent.

J'ai distribué les copies d'un nouveau texte. Sandrine et moi venions tout juste d'en terminer la mélodie, excités à l'idée de la faire entendre au reste du groupe. Quelque chose de différent, plus accessible, résolument pop.

Nous leur avons joué, seulement la guitare et la voix, attendant une participation quelconque, au moins un sourire enthousiaste. Je dictais les accords à Laurie pour la guider. Elle a tapoté quelques notes pendant que Manu chatouillait sa caisse claire avec ses balais en regardant ailleurs. Francis ne faisait rien.

J'ai laissé résonner mon dernier accord, il est allé se perdre dans le silence qui venait de s'installer. Sandrine s'est rongé un ongle. Les commentaires tardaient. Laurie s'est exprimée la première : « Il y a une bonne place pour déjeuner dans le coin ? »

Ils ont tous bondi vers la porte. Inexpressifs. Sandrine leur a proposé de se rendre au café d'en face, ils ont hoché la tête en sortant à la file indienne. J'ai dit que j'irais les rejoindre, le temps de remonter à l'appartement et d'enfiler un chandail.

Samedi matin et j'entendais les échos d'un film porno qui jouait à tue-tête à l'étage du dessous. Il y avait un message dans la boîte vocale, j'ai écouté le début en enfilant mon t-shirt des White Stripes : « Ouin, Alex, c'est ton frère… »

Je l'ai effacé, sans écouter la suite.

Le 11 septembre 2001, Jonathan S., un des finalistes de l'émission Pop Idol, s'est jeté du haut d'une tour du World Trade Center en flammes. « J'espère qu'on me prendra en photo », s'est-il dit, avant de n'être plus qu'un amas de chairs, d'os, de sang et d'entrailles répandus au sol.

2.

Daniel venait de laisser Sophie. Six ans et quelques passés avec la même fille, amoureux pendant au moins les trois premières années. Puisque les derniers mois avant une rupture sont faits d'ennui, d'abstinence et d'envie de se pendre, je savais ce qui lui ferait plaisir : un enclos rempli de proies faciles. J'ai donc invité le taureau en rut aux couilles engorgées à m'accompagner au lancement du deuxième disque de Pouffiasse.

Il n'y avait là qu'une fille à la vue de qui je souhaitais me soustraire : une employée de Pouffiasse, avec qui j'avais eu une relation privilégiée. Elle ne portait pas son titre d'attachée de presse pour rien, puisque ses penchants vers le sadomasochisme étaient contrebalancés par l'envie de s'établir avec un homme et d'enfanter au plus vite. Elle m'avait confié ce désir un soir avant de s'endormir, les marques blanches causées par les menottes encore visibles à ses poignets. Nous étions ensemble depuis deux semaines, et le sexe nous avait évité jusque-là d'avoir de réelles conversations. J'avais filé dans la nuit, sans un mot, sans un bruit, entretenant ainsi ma réputation de salaud qui ne cherche qu'à glisser son sexe dans un endroit chaud et qui fuit dès que ça refroidit.

Je possède un réel talent pour fuir les ex, malgré qu'elles soient nombreuses dans cette ville. Chaque rue cache un danger potentiel, une possibilité de croiser une dame qui m'en veut de l'avoir abandonnée. Je me fonds dans la foule, je m'intéresse à la vitrine d'une boutique plus longtemps que nécessaire, j'attache un lacet de soulier qui n'était pas détaché ; en cas d'urgence, je bondis dans le premier commerce à ma portée : fleuriste, peep-show, salon de toilettage pour chiens, peu importe.

Pour éviter cette attachée de presse qui se dirigeait vers nous, j'ai dû abandonner Daniel, effectuer un large mouvement de bras pour cacher mon visage en saisissant deux verres de vin sur le plateau d'un serveur et me glisser avec la grâce d'un danseur de *Casse-Noisette* entre un haut-parleur et un beau parleur, l'imprésario de Pouffiasse. Je me suis retrouvé à l'entrée de la salle, hors de danger.

Face à cette fille.

Des filles, j'en ai vues. Sous tous les angles, dans toutes les positions. Mais elle, rien qu'à la façon qu'elle avait de se tenir là, une mèche devant les yeux, vêtue simplement d'un jeans et d'une blouse noire, faisait paraître toutes les autres sans couleur, sans saveur et sans relief.

Ses gestes, troubles, cachaient une fureur qu'elle ne pouvait plus contenir, alors qu'elle inspectait la foule. Je lui ai souri, sans dire un mot, en lui tendant un verre. Elle l'a pris en m'effleurant la main et m'a demandé si je savais de quoi avait l'air Didier Lombard. Je lui ai montré du doigt l'individu, un projecteur faisait scintiller ses bagues alors qu'il se curait les dents. Elle a hoché la tête d'un air entendu : « Il est aussi dégueulasse que je l'imaginais.» Elle a ri avec moi, puis s'est approchée pour me confier un secret, en glissant la mèche qui lui couvrait l'œil derrière son oreille. Ses cheveux sentaient le thé aux framboises. «Je suis venue pour lui casser la gueule. Tu peux me tenir ça un instant?»

Je me suis retrouvé avec sa cigarette aux lèvres et un verre dans chaque main. J'ai tout bu en quelques gorgées rapides, puis j'ai jeté la cigarette dans le pot d'un petit arbre en plastique. J'avais les mains libres pour la retenir, mais elle était déjà partie.

Ça faisait à peine trois minutes que je l'avais rencontrée et déjà elle me manquait. Son sourire de conquérante, la grâce de ses gestes, son attitude baveuse de hors-la-loi: j'en voulais encore. Je n'ai eu qu'à suivre le sillon qu'elle avait tracé dans la foule compacte de branchés snobinards pour la rejoindre. L'adrénaline me rendait alerte: une fille superbe s'apprêtait à molester l'imprésario le plus influent du Québec.

Nous sommes arrivés devant lui en même temps. Il s'est mis les mains dans les poches et a reculé d'un pas en haussant les sourcils. Un garde du corps s'est avancé, prêt à nous rompre quelques os, puis Lombard m'a reconnu. Il m'a tendu la main: «Tiens, bonjour Alexandre! Ça va? Vous vous amusez bien?» Il a souri à ma nouvelle amie, d'un rictus qui laissait voir au dehors les travers du dedans. Rien d'agréable. Elle s'est tournée vers moi, c'était un pas dans la bonne direction.

— Quoi? Tu connais le gros porc?

Le gros porc s'est penché pour mieux entendre. Lombard – gros porc: j'espérais que la ressemblance des sonorités allait camoufler l'insulte. Dans cette position, il était bien placé pour qu'elle lui fende le crâne. Et je savais qu'elle y pensait. C'est à ce moment que j'ai cessé de sourire. Je me suis concentré sur le frisson qui me montait du coccyx jusqu'aux vertèbres cervicales. Sans que je comprenne pourquoi ni comment, je savais hors de tout doute que cette fille aurait de l'importance dans ma vie. J'ai été pris d'un vertige, et personne ne saurait gâcher mon bonheur en accusant le vin de mauvaise qualité d'être la cause de cet étourdissement.

Je lui ai pris la main et je l'ai traînée de force vers la sortie. Les gens qu'elle avait bousculés à l'aller s'écartaient maintenant de notre chemin.

Elle tremblait.

Nous avons fait trois fois le tour de l'immeuble, suivis du regard, à chaque passage dans la ruelle, par un pouilleux. La demoiselle semblait vouloir se calmer. Dans la ruelle, elle m'a demandé une cigarette. Je regrettais de ne pas avoir embarqué un vinier de rouge et deux verres. Elle s'est détendue et m'a dit, en soufflant un nuage de fumée: «Merci, Alexandre. J'ai failli faire une connerie, hein?» Son rire, déjà, m'était précieux.

— Alex. Mon nom, c'est Alex. Le gros porc s'en souvient jamais.

Je lui ai demandé si ses tremblements avaient cessé, j'ai ajouté qu'elle n'avait pas à se mettre dans cet état pour quelqu'un comme Lombard. Elle a ri de nouveau, m'a confié que ce n'était pas lui qui lui faisait cet effet, puis s'est rapprochée sans prévenir. Elle m'a coincé contre le mur et m'a embrassé goulûment.

C'est moi qui fais ça, d'habitude.

Je ne saurais dire si ce baiser brisait la tension sexuelle ou l'alimentait. Étonné, je retrouvais l'excitation des *frenchs* de l'adolescence, de ceux qui nous faisaient passer des heures emboîtés sur un divan dans le sous-sol, chez les parents. Ses seins, collés sur moi, se soulevaient au rythme de sa respiration. J'ai risqué une main sous sa blouse, alors que nous reprenions notre souffle avant le deuxième baiser. Nous avons été interrompus par Daniel qui déboulait l'escalier de la sortie d'urgence, tout près de nous. J'ai expliqué à la fille que cette épave puant l'alcool, inerte à nos pieds, était un ami d'enfance. Ma main était encore chaude, marquée par ce sein que j'abandonnais à regret. Nous avons regardé Daniel boire sa dernière gorgée de vin, dans le verre qu'il tenait toujours malgré sa dégringolade, puis j'ai tenté de le remettre debout. C'était mou.

J'ai balancé la chose inerte et flasque dans un taxi. Tout en donnant les directives et l'argent au chauffeur, je gardais un œil sur cette fille. J'avais peur qu'elle disparaisse si je clignais des yeux. J'ai sursauté en voyant le crotté, qui nous avait suivis de la ruelle jusqu'ici. Par réflexe, j'ai posé ma main sur la poche arrière de mon jeans. Mon portefeuille y était encore. Il me parlait sans me regarder, ma nouvelle amie semblait l'intéresser plus que moi. Soit il n'était pas qui il prétendait être, un des meilleurs DJ que j'avais connu, soit il avait eu la vie dure depuis quelques années. La drogue, sans doute. Je me suis débarrassé de lui du mieux que j'ai pu ; j'avais l'esprit ailleurs. Le corps aussi. Elle a posé sa main dans la mienne, nous avons marché jusque chez elle. Je n'ai su son nom que le lendemain.

Ce matin-là, lorsqu'elle m'a autorisé à sortir du lit – pour aller préparer du café et pour reprendre des forces avant le prochain coït –, je me suis permis d'inspecter les lieux. Discrètement. Il y avait un piano droit dans le salon, une pile de partitions sur une table basse et des cahiers remplis d'une écriture ronde et compacte sur un fauteuil.

Retournant sous les couvertures avec deux grands bols de café, je lui ai demandé si elle jouait du piano. Question idiote – elle a un piano dans son salon, elle doit bien savoir en jouer –, mais c'est ainsi que j'ai appris qu'elle était chanteuse, en plus d'être auteure-compositeure. J'aurais dû m'en douter au moment où elle avait tenté d'agresser Lombard; il n'y a que les musiciens qui le détestent autant. Tout de même, j'en suis resté sur le cul.

Elle s'est installée au piano pour me jouer « Avec le temps ». Je n'aurais jamais cru au potentiel érotique de Léo Ferré avant d'entendre la version de Sandrine. Une voix rauque, chaude, toujours sur le point de casser mais toujours juste. Elle n'a pas eu à me demander ce que j'en pensais, mon sourire d'imbécile heureux lui suffisait. Elle m'a sauté dans les bras et, pendant que je la ramenais dans la chambre, a voulu savoir ce que je faisais dans la vie.

— Tu me croiras pas si je te le dis.

Elle ne m'a pas cru. Alors, pour changer de sujet, nous avons fait l'amour.

Nous cherchions une chanteuse depuis plus d'un an. Notre trio rock avait atteint les limites de son potentiel commercial et nous ne jouions que devant des publics épars et inattentifs,

la plupart étant des amis ou des amis d'amis. Mes déhanche-
ments lubriques sur scène ne suffisaient pas à camoufler mes
performances vocales plutôt quelconques et, pour tout dire,
nous cherchions à augmenter nos revenus. J'avais eu l'idée de
conserver le trio, pour le plaisir de la chose, tout en menant
de front un deuxième groupe, la même formation mais en y
ajoutant un DJ et une chanteuse. Fred était ravi d'entendre le
mot « commercial » sortir de notre bouche. Il nous avait vite
déniché un DJ formidable pour la nouvelle formation, mais
aucune chanteuse ne faisait l'affaire. C'était par dizaines que
nous les avions auditionnées. Proprettes, gentilles, apathiques,
la plupart étaient des imposteurs en quête d'admiration pour
un hypothétique talent qu'elles n'arrivaient pas à libérer.
J'avais pu constater qu'une seule chantait très bien, mais uniquement sous la douche où, malheureusement, j'étais intéressé à autre chose qu'à l'entendre chanter.

Depuis quelques mois, nous avions donc décidé de vaquer
à d'autres projets. Fred était déçu, nos dettes augmentaient.
Sur scène, je me frottais un pied de micro entre les jambes en
hurlant « *come on babe, get down, yeah, rock and roll* » pour
combler le grand vide de nos chansons.

Le hasard, parfois, fait beaucoup mieux les choses qu'on
ne saurait les faire.

De savoir que j'étais moi aussi chanteur et musicien la ravis-
sait. Elle m'a fait entendre la maquette qu'elle avait envoyée

aux productions D. Lombard quelques semaines plus tôt. Trois chansons accrocheuses, du travail de qualité.

— Je lui ai téléphoné des dizaines de fois, ça m'a pris une semaine pour réussir à lui parler. Il m'appelait « ma grande » comme si j'étais une débile mentale et que je lui appartenais. Il m'a demandé jusqu'où j'étais prête à aller pour faire ce métier. Il m'a parlé de coupe de cheveux, de collagène dans la lèvre inférieure et m'a dit que, côté vêtements, ça n'allait pas du tout. Qu'il fallait repenser mon look. Il m'a dit qu'il exigeait de ses artistes dévouement, confiance absolue, un petit scandale de temps en temps pour attirer l'attention, tout un tas de niaiseries. Mais tu veux savoir quand j'ai vraiment pété ma coche ?

Je voulais tout savoir à propos d'elle. Alors, oui.

— C'est quand il m'a dit qu'il écouterait mon démo la journée même. Le gros porc m'avait même pas encore entendue chanter ! Je lui ai raccroché au nez, décidée à lui faire bouffer ses dents dès que j'en aurais l'occasion.

Didier Lombard n'est pas un individu très sympathique. J'avais commencé à travailler pour lui alors qu'il cherchait un compositeur pour écrire les indicatifs musicaux de deux émissions de télévision qu'il produisait. Fred lui avait vanté mes mérites – en exagérant un peu – et Lombard s'était laissé convaincre, surtout parce que j'allais le faire pour la moitié du prix d'un professionnel établi. C'était sa condition, non négociable. Il était satisfait de mon travail, mais refusait d'écouter les maquettes que je lui envoyais. « Toi, dans ma business, t'écris de la musique pour mes émissions quand je te le demande. Sinon, tu viens pas m'achaler avec tes chansons, O.K. ? » Quelques jours avant, en lui remettant ma version finale d'une musique composée pour un jeu-questionnaire débile, Fred lui avait soumis la dernière maquette des Mal Élevés. Lombard avait regardé le CD comme si on venait de déposer un étron sur son bureau. «J'haïs ça les crisses de groupes, Fred, tu le sais, arrête de me niaiser. Les membres s'engueulent tout le temps, il y en a toujours au moins un qui sait pas jouer, puis ça coûte trop cher à produire.» Il avait pris le CD du bout des doigts pour le jeter par la fenêtre qui donnait sur la ruelle. Fred avait entendu un camion de livraison rouler dessus.

Pour ces raisons et bien d'autres encore, Didier Lombard se déplace rarement sans ses gardes du corps.

☆ ☆ ☆

Ça ne m'a pas pris plus d'une semaine avant que je laisse une de mes guitares chez Sandrine. J'avais toujours envie d'être avec elle. Je dépensais mes chèques de droits d'auteur en taxis, l'autobus et le métro ne me semblant plus assez rapides pour la retrouver. Je demandais aux chauffeurs d'éteindre la radio ; pour gagner quelques minutes dans ma journée, j'écrivais des chansons pendant qu'on me conduisait à mes sessions d'enregistrement ou au local de pratique. J'arrêtais chez moi le temps de remplir un sac de vêtements propres, d'écouter les messages sur le répondeur, et je repartais. Je dormais peu. Dans mon agenda, Sandrine avait rempli tous les blancs.

Je lui ai fait entendre mes compositions récentes – je ne suis jamais satisfait que de mes deux dernières –, elle les chantait mieux que je ne savais le faire. Mes textes, portés par sa voix, étaient plus sentis, plus habités. Elle en révélait les émotions originelles que j'avais fini par occulter, parfois par besoin de détachement, parfois aussi parce que la passion ou l'ivresse qui m'avaient poussé à écrire n'avaient duré qu'un temps. Même les chansons offertes à des chanteuses connues, dont certaines avaient eu du succès, semblaient meilleures chantées par elle.

Elle a dit oui à tout ce que je lui proposais : oui, je veux bien chanter tes chansons. Oui, je veux jouer les miennes avec ton groupe. Oui, je veux en écrire de nouvelles avec toi, oui oui, oui. Elle aimait me raconter ses souvenirs d'enfance et les banalités de sa vie quotidienne, souvent avec la même candeur, et je l'écoutais sans l'interrompre, ravi qu'une personne m'offre son intimité avec tant de confiance. En quelques jours, elle en savait plus sur ma vie que n'importe qui d'autre, et je comprenais qu'elle aussi se livrait comme elle n'avait jamais pu le faire. Nous devenions inséparables. Autant j'avais hâte de la présenter au groupe, autant j'avais envie de garder tout ça secret, de continuer à vivre dans un rêve, éthéré, intouchable, loin des réactions cyniques que mon enthousiasme susciterait dans mon cercle d'amis. Mais bon.

Dans le taxi qui nous conduisait au local de répétition, un endroit sale et déprimant, où l'odeur d'urine séchée sur le tapis du corridor de l'entrée accueillait les musiciens en leur donnant une nécessaire leçon d'humilité, je tentais de décrire à Sandrine les membres du groupe, de façon à ce qu'ils ne lui paraissent pas trop étranges. Elle en avait vu d'autres, qu'elle me disait. Alors je lui ai décrit Manu. Des comme ça, elle n'en avait jamais vus.

Ils étaient tous déjà là. Je savais qu'ils espéraient beaucoup de cette rencontre. Parce que les Mal Élevés n'avaient jamais réussi mieux que de placer une chanson ou deux dans le palmarès des radios universitaires, Sandrine, si elle était telle que je leur avais dit, nous donnerait l'espoir d'accéder à un plus vaste public. Les présentations terminées, nous avons branché nos instruments.

Puis, la magie. Sandrine était bien meilleure que moi, ils l'ont vite compris. La moindre de ses notes semblait poussée par une émotion véritable, pure, loin de l'interprétation braillarde et calculée typique des chanteuses québécoises. Manu me souriait en faisant tourner ses baguettes, signe qu'il était emballé. Laurie m'a serré dans ses bras en me soufflant à l'oreille: «Si en plus elle est aux filles, je capote.» Kitchen, notre nouveau groupe, fêtait ses premières minutes d'existence.

☆ ☆ ☆

Je finissais de me raser dans sa grande salle de bain, entouré de miroirs, dans une lumière crue, presque aveuglante. Ça me changeait de chez moi, où je maniais mon rasoir devant un miroir dépoli, guidé par l'éclairage vacillant d'une lampe halogène. Elle est entrée, piteuse, tenant son index bien serré dans son autre main, pour me montrer l'écharde qui s'y était enfoncée. Elle s'est assise au bord du bain pendant que je choisissais la pince à épiler la mieux appropriée pour ce genre de situation. J'avais le choix entre quatre modèles, tout ça rien qu'en ouvrant le premier tiroir à ma portée. Elle m'a regardé, soucieuse, fragile mais confiante. Je ne savais pas ce que je faisais, mais je n'en laissais rien paraître. J'ai vite retiré l'éclat de bois de sous son ongle, la laissant étonnée, à s'inspecter le doigt, en me gratifiant d'un sourire reconnaissant. C'est à ce moment que j'ai compris, jouez hautbois, résonnez musettes, que j'étais amoureux.

J'avais l'impression d'être là pour quelqu'un, et qu'enfin quelqu'un était là pour moi. Je souhaitais la protéger de tout. Il n'y avait plus qu'elle qu'il m'importait de faire rire et sourire, de rendre heureuse en anticipant ses désirs, elle était ma nouvelle famille, beaucoup plus loquace et démonstrative que l'ancienne, celle composée de mâles grossiers et d'une mère en fuite.

Amoureux.

☆ ☆ ☆

Je ne le lui ai dit que quelques jours plus tard, le temps de m'assurer que ce n'était pas qu'un virus passager. Nous sortions d'un restaurant où nous avions déjeuné, entourés d'enfants qui papillonnaient autour de Sandrine, empressés, pour une raison obscure, de lui montrer leurs dessins et leurs ballons et leurs sourires les plus mignons. Une image m'était venue à l'esprit : Sandrine enceinte de moi. J'avais d'abord senti l'habituel frisson d'horreur me parcourir l'échine, puis j'avais souri. Elle avait voulu que je lui dise à quoi je pensais, j'avais répondu le classique « à rien ». Le jour où la femme apprendra qu'il pense toujours à quelque chose, surtout lorsqu'il donne cette réponse, l'homme ne sera plus qu'une bête traquée, condamnée à mourir sous les coups de bâton.

Il faisait beau, je me sentais bien. J'ai regardé Sandrine ranger dans son sac les dessins qu'on venait de lui offrir, puis je lui ai dit. « Je t'aime. » C'est sorti comme ça, tout naturellement. Elle m'a serré dans ses bras, m'a embrassé, puis m'a soufflé « je t'aime aussi » à l'oreille. Au fond, nous n'avons fait que nous dire ce que nous savions déjà.

Elle m'a quitté à regret, un enregistrement de voix pour une publicité l'obligeait à partir. Nous avons convenu de souper ensemble et nous sommes partis chacun de notre côté, heureux, légers, nous nous sommes retournés au même moment pour nous envoyer la main. J'ai pensé à Meg Ryan et à Julia Roberts et à Drew Barrymore et à Tom Hanks et à Adam Sandler et à Hugh Grant: je vivais maintenant dans une comédie romantique.

C'est donc la peur aux tripes que j'ai couru jusque chez Daniel.

J'avais besoin qu'on me rassure. Avec Sandrine, j'étais si bien que c'en était louche. Cet amour m'effrayait. Et trop de gens disent «je t'aime» alors que ce qu'ils veulent vraiment dire, c'est: «Je m'ennuie, je suis dépendant affectif, je n'aime pas regarder la télé tout seul, je ne sais pas faire la cuisine, j'ai besoin d'une mère, j'ai besoin qu'on décide à ma place, je veux des cadeaux d'anniversaire, je veux t'exhiber comme un trophée, je veux rendre les autres jaloux de notre bonheur apparent, je veux le confort que ta situation financière m'apportera, il est temps pour moi d'avoir des enfants, je veux prouver à mon entourage que je suis un adulte, je veux pouvoir raconter à quelqu'un mes journées plates passées au bureau en rentrant à la maison.»

Pour ma part, j'avais déclaré mon amour à Sandrine parce que je pouvais me projeter dans l'avenir avec elle. Je savais que nous passerions notre vie ensemble. C'était un sentiment merveilleux mais sans précédent. Cette bouffée d'angoisse qui m'assaillait, malgré son aspect puéril, était donc parfaitement justifiable.

J'ai failli casser en deux, à me tordre dans tous les sens pour garder mon équilibre sur une plaque de glace juste devant chez Daniel, j'ai glissé dans l'escalier disparu sous la neige, puis je suis entré dans son minable et minuscule appartement.

C'est à peine s'il écoutait mes angoisses, pressé de me raconter les siennes; sa cuirasse de cynisme s'érodait depuis qu'il avait rencontré Ève, ça l'inquiétait beaucoup. Puis, Nicolas est arrivé aussi. S'en est suivie une discussion absurde où personne ne s'écoutait parler. Je cherchais simplement à me faire dire que l'amour c'est merveilleux, tu vas voir, mon vieux, c'est une belle aventure, bravo, super, génial, hop, nous sommes contents pour toi. Daniel s'est emparé de son manteau pour filer sans prévenir, pendant que Nicolas nous avouait qu'il venait de tromper sa blonde, enceinte de quelques semaines. J'allais devoir me débrouiller seul.

☆ ☆ ☆

Nous sommes sortis du métro, enfin, passant du vieil air coincé là depuis l'Expo 67 à celui, humide et froid, du Vieux-Montréal, parfumé aux odeurs de la gueule et du cul des chevaux.

Je traînais derrière Sandrine, à la recherche du papier où j'avais noté l'adresse du nouveau local de Fred. Je l'ai retrouvé, chiffonné, perdu dans une poche de manteau parmi les Kleenex usagés et les médiators. J'ai dit que nous étions tout près, elle n'a rien répondu. Elle se mordillait les lèvres, le regard absent. Je lui ai tout de même demandé si elle était stressée, pour la sortir de sa torpeur, aussi pour l'aider à se détendre. Elle m'a signifié d'un geste impatient que la question était inutile: évidemment oui, elle était stressée. Je lui ai répété ce que je lui avais déjà dit, à savoir que mon imprésario n'avait rien à voir avec Didier Lombard, que même s'il pensait détenir la vérité, il faisait tout de même très bien son travail, et n'essayait jamais de transformer ses artistes en marionnettes pop destinées au marché des baby-boomers déprimés, otages des tours à bureaux. Ça faisait deux mois que je lui parlais d'elle en bien, pâmé, la larme à l'œil, à la fois démonstratif et protecteur, je savais que Fred l'adorerait.

L'endroit était d'un minimalisme chic. Un grand espace avec un divan, quelques chaises autour d'une immense table, un bureau de travail, quelques classeurs. Une salle de bain minuscule ainsi qu'un petit débarras, déjà rempli d'un tas de boîtes et de paperasses en désordre. Quelques disques d'or accrochés aux murs, aucun avec mon nom dessus.

Je me suis occupé de la machine à café pendant qu'ils faisaient connaissance. J'ai baissé le son de la musique, la maquette d'un de ses protégés, un barbu maigrelet aux yeux rouges qui avait connu un succès international dans sa lointaine jeunesse et qui maintenant ne vendait plus qu'au Québec, grâce à Fred.

— Je peux lui fermer la boîte, à ton itinérant?

Il s'est contenté de lever les yeux au ciel. Les deux avaient déjà cessé de se préoccuper de moi. J'ai mis le dernier album des Breastfeeders et je leur ai donné leurs tasses. J'espérais qu'ils s'entendraient bien; j'avais autant besoin de Fred que de Sandrine. Elle avait le talent qu'il fallait pour propulser le groupe vers les sommets, et lui connaissait le chemin. J'ai esquissé un petit pas de danse, dans l'indifférence générale, puis j'ai été m'étendre sur le divan – vrai cuir, on ne se prend pas pour de la merde – en ramassant le cube Rubik qui traînait sur une table basse. J'étais moins détendu que j'en avais l'air. Je souhaitais que Fred profite enfin de son investissement, qu'il sache qu'il ne s'était pas trompé en décidant, dix ans auparavant, de s'occuper de ma peu glorieuse carrière.

— Alex, il faut que je te fasse entendre un truc !

Fred me regardait. Sandrine a changé le disque, les deux avaient un sourire complice. Inquiétant. Je me suis redressé, j'ai posé le cube Rubik sur la table et j'ai croisé les bras.

— Dis-moi ce que tu penses de cette chanson-là. C'est sur le premier album de mon nouveau poulain. Il a juste vingt ans !

Je l'ai écoutée au complet, sans broncher. Mais, quand on me demande mon avis, je le donne : « Insignifiant, prévisible, ampoulé, sans profondeur, dépassé, cliché, mièvre, trop gentil, aseptisé, bassement commercial, froid, sans substance, scolaire, sans profondeur – je l'ai déjà dit, ça ? – un autre jeune qui chante pour les vieux, qui confond musique et industrie musicale, rien d'autre qu'une chansonnette populaire de plus, ne mérite même pas qu'on en parle, bref, ça va être un succès dans toutes les radios. » J'ai ajouté, souriant : « Pourvu que t'essaies pas de nous l'imposer en première partie de nos spectacles ! »

Ils se sont regardés. Puis Fred a éclaté de rire. Une chose que je n'aime pas, dans cette vie, c'est quand Fred éclate de rire. Il m'arrive un grand malheur chaque fois.

— J'ai une meilleure idée, Alex. Une bien meilleure idée. Tu veux former un groupe avec Sandrine, parfait. Mais c'est pas les Mal Élevés, ça. C'est un nouveau groupe. Un groupe inconnu, tu comprends ? Je vous mets tout de suite au programme de six spectacles. Vous allez faire sa première partie.

J'allais protester, mais devant le sourire béat de Sandrine, j'ai compris que le sujet avait déjà été discuté. J'ai pensé lui demander de nous laisser seuls avant d'égorger Fred. Le comique en rajoutait :

— Écoute, Alex, même avec les Mal Élevés, t'as pas d'album ! Je sais que c'est un ti-cul, mais les radios embarquent déjà, on va l'entendre dans tous les magasins de linge, ça va vendre à la tonne !

— Des chansons comme les siennes, je peux t'en écrire une à toutes les heures !

— Justement, écris-en, des tounes aussi commerciales, puis tu vas l'avoir, ton album ! Arrête de te pavaner avec ton intégrité de musicien, puis fais-le !

J'ai repris le cube Rubik. Je l'ai tripoté dans tous les sens – comment a-t-on pu créer un jeu qui détend aussi peu que cette cochonnerie ? J'ai fini par en faire sauter un coin tellement j'étais énervé. Je me suis levé, j'ai ouvert la porte, Sandrine a vite compris que nous partions. J'ai regardé Fred dans les yeux pour lui lancer :

— Tu vas voir ! On va te jeter à terre ! Après nous avoir vus en première partie, le public aura même plus envie d'entendre ton petit crisse de trisomique !

Un sacre, quelques points d'exclamation, une porte qui claque : fin de la conversation.

Je marchais d'un pas rapide et Sandrine trottinait, un peu à la traîne. Elle m'a demandé, rieuse, si nos rencontres étaient toujours aussi animées. J'ai haussé les épaules et je lui ai dit que je n'avais rien contre l'idée des premières parties, qu'après tout c'était une solution rapide pour jouer devant une foule, mais que je voulais montrer à Fred que je ne suis pas un pion qu'on manipule à volonté.

Voilà que je mentais pour faire plaisir à Sandrine.

En vérité, de savoir que toute la ville parlait déjà de Machin Machin avant même la sortie de son album me rendait jaloux. Impatient. Irritable. Je préférais tout de même garder mes impressions pour moi. Orgueilleux.

Choses auxquelles nous ne pensons pas quand, dans une ruelle, nous embrassons une fille de qui nous tomberons amoureux : 1- Elle a des parents. 2- Un jour, il faudra bien les rencontrer.

Avec n'importe laquelle des autres filles, rien que de savoir que son père fabriquait son vin aurait été une raison suffisante pour la quitter. Mais je ne m'étais encore jamais rendu à l'étape de rencontrer les parents. Avec Sandrine, je me disais que ça devait être un test, une façon de savoir si je tenais vraiment à elle. On m'a tendu un verre alors que nous sortions à peine du taxi, il m'a fallu boire la première gorgée pendant que le beau-père me regardait sans dire un mot. Sans doute était-ce un genre d'initiation vulgaire, une façon d'être accepté par la famille, comme d'autres mêlent leur sang ou se suicident en groupe. Voyant que je ne vomissais pas son vin rouge pétillant, moussu et parsemé de corps étrangers, il s'est empressé de remplir mon verre à ras bord. Et, pour souder davantage cette amitié naissante, il m'a traîné dans le garage pour dévoiler, devant mes yeux faussement éblouis, sa collection d'outils. Un cauchemar. Moi qui différencie à peine une perceuse d'une passoire, une scie ronde d'une ampoule, un carré d'un triangle. Pour éviter de lui faire perdre mon temps, j'ai avoué un manque total de connaissances en travaux manuels. Il m'a observé d'un air dédaigneux, exactement comme le fait mon père, qui me croit taré parce que je suis incapable d'arracher un clou.

Je vis en appartement. Je suis locataire. À quoi ça me servirait de savoir poser de la céramique? Ça fait près de vingt ans que je m'use les doigts sur un manche de guitare, je suis plus habile de mes mains qu'ils ne le seront jamais. Qu'est-ce qu'ils ont, les pères, à m'énerver avec ça? J'ai eu envie de l'étrangler ou, du moins, de lui faire un peu mal. J'ai jeté un regard vers les outils, tout ce potentiel destructeur dont j'ignore l'usage. J'ai trouvé ça dommage. J'aurais pu lui traverser le pied avec cette perceuse (ou était-ce une moissonneuse-batteuse?), ou bien lui arracher les cheveux avec ce machin rotatif ou je ne sais quoi. Peut-être, plus sobrement, lui jeter son vin pourri au visage?

Il a haussé les épaules, mes lacunes ne l'incitaient qu'à me décrire plus en détail le fonctionnement de chacun des objets. J'ai vidé mon verre dans un pot où baignaient des pinceaux dans de l'eau sale, alors qu'il me tournait le dos, à la recherche de vis conçues pour installer des tablettes dans du gypse. Un calendrier était accroché au mur, ouvert à la page de décembre. Mille neuf cent quatre-vingt-six. Une fille, blonde de cheveux et brune de pubis, étendue sur une Harley-Davidson. Sosie d'Olivia

Newton-John. En pensée, je l'ai prise par-derrière sur sa moto pendant que le beau-père se masturbait avec ses outils.

Sandrine est enfin venue me délivrer. J'ai promis à son père, déçu, d'essayer sa souffleuse une prochaine fois. Peut-être en hiver, tiens.

Elle m'a présenté sa sœur Vanessa, dite « la nymphomane », qui attendait dans le salon. La description que m'en avait faite Sandrine n'était pas tout à fait juste ; c'est-à-dire qu'elle n'avait pas l'air d'une vicieuse manipulatrice vêtue de haillons couverts de sperme et de sang, l'écume à la bouche et les yeux fous sortis des orbites. Elle était même plutôt jolie. Sandrine nous a laissés pour aller voir pourquoi sa mère hurlait son nom dans la cuisine. J'ai eu, avec « la nymphomane », une conversation dont je ne me rappelle plus le moindre mot. Debout devant moi, tout en débitant quelques banalités, elle tanguait ostensiblement, de manière à frotter son pubis sur le montant d'une chaise, sculpté dans une forme phallique sans équivoque. Elle se mordillait la lèvre inférieure en écoutant plus ou moins mes réponses, assez brèves en l'occurrence, dites d'une voix chevrotante, la gorge sèche. Je me suis mis à taper du pied, espérant l'arrivée de Sandrine, de son père, de sa mère, de n'importe quelle diversion susceptible de dissiper la tension sexuelle.

Si Sandrine avait représenté pour moi la même chose que les autre filles avant elle, j'aurais baisé sa sœur sur le tapis du salon, sans me préoccuper du reste de la famille – toujours absente –, incapable de refuser une invitation à mêler mes fluides corporels à ceux d'une jolie brunette. Mais ça, c'était avant. Avec Sandrine, j'avais la volonté de faire les choses dif-féremment : le rituel de l'accouplement n'aurait plus lieu qu'avec la femme que j'aimais. C'était cette règle, décidée d'un commun accord, qui m'incitait à rester assis sur ce divan de velours et à me laisser désirer par une fille lubrique sans lui offrir ma queue. Vraiment, je ne me reconnaissais plus.

Ça me rappelait l'*Odyssée*. Il ne me restait qu'à rencontrer la mère, toujours occupée dans la cuisine. J'ai pensé qu'elle devait mesurer trois mètres et n'avoir qu'un œil, planté au milieu du front.

Sandrine nous a rejoints et m'a présenté la dame, qui m'a semblé normale. Une femme grande et mince que j'ai accueillie debout, légèrement penché vers l'avant, de façon à camoufler la turgescence encombrante que sa fille, dite «la nymphomane», avait fait naître dans mon jeans. «On avait hâte de vous rencontrer, vous!» m'a-t-elle lancé. Il faut dire que Sandrine et moi avions réussi à reporter ce moment depuis plus d'un an. Mais, sous la pression grandissante, j'avais consenti à subir l'inspection beaux-parentale. Allez-y. Faites ce que vous voulez de moi. Examen des dents et des gencives, calcul du pourcentage de gras, toucher rectal, veuillez tousser, test de réflexes et de quotient intellectuel. Profitez-en, je ne vous rendrai pas visite plus souvent qu'à mon dentiste.

— Avez-vous des études, vous?

C'était la belle-mère telle qu'on me l'avait racontée, celle des contes et des légendes, qui voit un lien direct entre l'intelligence et la scolarité, convaincue que le décrocheur moyen mourra très jeune dans une ruelle, une seringue plantée dans les veines. J'ai réalisé que, malgré mes efforts, je ne m'étais pas assez préparé avant de venir ici. Et, pourtant, j'avais appris par cœur les précieux enseignements prodigués par mon ami Daniel: «Pogne pas les nerfs quand la belle-mère va te demander si tu as des études. Réponds n'importe quoi. Pogne pas les nerfs non plus quand elle va demander des nouvelles de l'ex à Sandrine, comme si c'était le gars le plus formidable que sa fille ait connu. Fais pas de blagues. Avant d'être drôle, il faut paraître gentil. Et ordinaire. Ordinaire, c'est rassurant. Si tu veux que le beau-père t'aime, parle des mêmes sujets que lui, généralement le sport, les voitures, les travaux manuels. Mais je peux te dire tout de suite que le beau-père t'aimera pas : elle a beau être majeure, oublie-pas que tu mets ton pénis dans le vagin de sa fille. Sujets tabous : sexe, religion, politique. Et aussi tous les sujets que tu connais bien. Si tu donnes l'impression d'en savoir plus qu'eux, ça va les intimider, ils vont se sentir inférieurs. Télé, météo, le temps que ça a pris pour se rendre, mais surtout la météo. Et essaie de pas capoter : oui, ta blonde va devenir comme sa mère en vieillissant, mais toi, tu vas devenir comme ton père. »

Sandrine a fait de son mieux pour atténuer mon rôle de décrocheur. Elle m'a pris par l'épaule, puis elle a parlé des chansons que nous écrivions ensemble. Belle-maman n'a rien entendu. « As-tu des nouvelles du beau Tristan ? J'espère qu'il va bien ! Dis-lui qu'il se gêne pas pour venir nous voir, hein ? Ton père voulait l'aider à installer des haut-parleurs dans sa voiture puis il est jamais venu. » Mon pouls s'accélérait. J'ai jeté un œil par la fenêtre pour voir si mon souhait s'était exaucé. Mais, non, aucun taxi devant la porte.

Nous attendions l'arrivée de Steeeve, le copain de Vanessa, pour passer à table. Plus personne ne parlait. La belle-mère, incommodée par le silence, s'est levée pour m'offrir l'apéritif. « Cinzano ? Dubonnet ? » J'ai indiqué une bouteille au hasard, sans même grimacer.

Vanessa, assise près de moi, laissait traîner son regard concupiscent sur mon entrejambe. Mal à l'aise, je me suis intéressé à une collection de cochons en porcelaine, posés sur une imposante étagère vitrée. J'y allais de quelques ah ! et oh !, juste assez convaincants, et je trempais les lèvres dans ma ciguë sans en boire. J'ai trouvé un petit cadre, une photo de Sandrine, caché derrière un goret à moto. On la voyait, âgée d'une dizaine d'années, assise dans une chaloupe. Et, malgré l'immense toupet et les vêtements de chez Boca, on remarquait tout de suite sa prestance et son aplomb. Cette fille, peu importe l'âge où je l'aurais rencontrée, j'en serais tombé amoureux. J'avais envie de tout savoir de son enfance et d'entremêler nos souvenirs, comme si nous étions ensemble depuis toujours.

Le petit ami est finalement arrivé. Après les présentations, Vanessa l'a entraîné dans une autre pièce. Pendant que nous passions à table, nous pouvions entendre des gémissements auxquels j'étais le seul à prêter attention. Tout ça semblait normal. Ils nous ont rejoints quelques minutes plus tard, dépeignés, les yeux rouges. Vanessa n'avait plus de soutien-gorge sous son chandail et elle avait changé de pantalon. Steeeve nous a quittés, un tournoi de balle molle l'obligeait à partir. Il est sorti en emportant quelques tranches de pain, dont une au complet dans la bouche. Ça lui donnait des airs d'écureuil retardé mental.

L'insatiable Vanessa m'a souri ; sans doute en voulait-elle plus. Le beau-père voulait que je reprenne du vin. La belle-mère voulait que je raconte ce que je faisais dans la vie, outre mon passe-temps de musicien. J'ai senti un pied me caresser la jambe et remonter jusqu'à mes cuisses. Les deux sœurs me faisaient face, j'ignorais donc si ce pied appartenait à Sandrine ou à Vanessa. Pour dire vrai, ça pouvait aussi être celui du beau-père. J'ai récité de mémoire tout mon curriculum vitae à belle-maman, pour tenter de lui faire comprendre que je gagnais ma vie grâce à la musique. Beau-papa m'a coupé la parole pour raconter une anecdote à propos d'une marmotte, d'une tondeuse à gazon et d'un sac d'engrais. Je l'ai laissé parler sans l'interrompre, fasciné que j'étais par le spaghetti qui gigotait dans sa moustache. Son histoire était ponctuée de nombreux silences ; pour ajouter du suspense, me disais-je. Mais, chaque fois qu'il marquait une pause, j'avais la nette impression de l'entendre péter. J'ai posé ma serviette sur la table et j'ai demandé où se trouvaient les toilettes. Je me suis levé, me libérant ainsi du pied mystérieux qui me compressait les organes génitaux d'une manière peu émoustillante.

La salle de bain était située devant une chambre que je devinai être celle de Vanessa, juste à l'odeur de sexe et de draps sales qui s'en dégageait. Je me suis accroupi devant la cuvette, claquant la porte derrière moi, et j'ai tout laissé sortir. De longues gerbes de bile brûlante, libératrices. Je me suis débarrassé de mon haleine fétide en me nettoyant la bouche avec une brosse à dents, choisie au hasard. Au point où j'en étais.

La belle-famille. J'apprenais lentement à vivre avec.

☆ ☆ ☆

Sandrine en a parlé quelques jours plus tard. J'étais donc seul à tenter d'oublier l'évènement. « Je suis contente, ça s'est super bien passé chez mes parents ! »

J'ai cherché son regard sous sa mèche de cheveux, pour voir si c'était de l'ironie. Il semblait que non. Le couple étant un heureux mélange de soumission et d'omission, au retour, en réponse à ses questions, j'avais pris soin d'éliminer certains détails. Je n'avais donc pas failli baiser sa sœur, ni noyer son père dans une cuve de vin maison, ni hurler à sa mère que j'avais un travail et non un passe-temps en serrant son cou jusqu'à ce qu'elle demande pardon. Je n'avais pas vomi. Je n'avais pas été victime d'attouchements sexuels faits par un pied inconnu. Alors, oui, ça s'était bien passé.

— Maintenant que t'as rencontré ma famille, il serait temps que je rencontre la tienne, non?

Euh... non.

Nous étions enfin au sixième spectacle de cette tournée, qui nous avait menés de Montréal-Mile-End jusqu'à Montréal-Quartier latin. La nervosité de Machin Machin, visible par ses tics, m'amusait. C'était son dernier spectacle en notre compagnie et il n'avait toujours pas réussi à faire de nous ses amis. Cette situation le rendait malade; les gentils ne comprennent pas qu'on puisse ne pas les aimer.

Sandrine est sortie des toilettes et s'est dirigée vers le miroir de la loge avec sa trousse de maquillage. Machin Machin a cessé de se ronger l'ongle. Il a cessé de respirer, aussi. Elle portait son manteau en peluche rose qui lui arrivait à mi-cuisse. Depuis le deuxième spectacle, où elle s'était versé un pichet d'eau sur la camisole blanche – rien dessous –, Sandrine était la cause principale de sa nervosité. Il a repris son souffle, puis il a tenté un contact :

— Tu vas pas avoir chaud?
— J'ai rien en dessous.

J'ai cru qu'il allait se noyer dans sa bave. Les regards de tous les musiciens présents ont convergé vers Sandrine. Manu, Francis et Laurie sont entrés à ce moment. C'est Laurie qui a été la plus prompte à passer une remarque :

— Qu'est-ce qu'ils ont à te regarder avec la bouche grande ouverte?

— Aucune idée!

— Mmm. Ça a l'air doux!

Laurie a levé son chandail – rien dessous – puis s'est frotté les seins contre ceux de Sandrine, au travers de la peluche. J'entendais des râles et des gémissements, à ce moment tous les musiciens étaient prêts à quitter leur groupe pour se joindre au mien.

Machin Machin inspectait ma guitare pour se changer les idées. Il me parlait des siennes, du soin maniaque avec lequel il les entretenait. Il m'a suggéré un excellent produit à base d'huile de citron pour la polir. Je lui ai dit que ce n'était qu'un bout de bois, façon courtoise de lui signifier que, vraiment, je n'en avais rien à crisser.

— C'est une américaine?

— Copie japonaise. Aujourd'hui, je me disais que c'était une journée à laisser les bonnes guitares à la maison.

Il ne comprenait pas de quoi je voulais parler, mais n'a pas insisté pour le savoir. Il transpirait. Je lui ai offert une bière. « Non, merci, jamais avant les spectacles. » Il s'est trouvé un ongle à ronger.

Vingt heures quinze, nous étions juste assez en retard pour avoir l'air importants. J'ai demandé à Francis d'aller exciter la foule avec ses tables tournantes. Il est monté sur scène en disant que le reste du groupe était coincé aux douanes, de la cocaïne plein les valises, et qu'il avait réussi à s'enfuir. Sans plus attendre, il les a assommés avec un échantillonnage de batterie d'une pièce de James Brown. Il *scratchait* de la main droite, tenait ses écouteurs de la gauche, changeait les disques avec je ne sais quelle autre main. Cinq minutes plus tard, nous montions sur la scène.

Vous êtes un dieu.

Jambes écartées, léger mouvement du bassin pour marquer le tempo. L'éclairage est sur vous, la sueur s'accumule dans vos sourcils. C'est le moment du solo de guitare. La chanteuse s'éloigne pour boire de l'eau, la bassiste se rapproche en dansant, vos doigts filent sur le manche et le rythme résonne dans le ventre du public. Plus rien n'a d'importance que de faire cracher des notes à ce bout de bois.

Vous êtes parfait.

Les hommes dans la salle le savent. Ils sont troublés. Inquiets. Les filles qui les accompagnent ne font plus attention à eux. Elles vous contemplent. Elles en oublient de boire, de mâcher leur gomme, elles déchiquettent les sous-verres en mille morceaux. Elles aimeraient faire de même avec vos vêtements.

Vous êtes parfait parce que vous n'êtes pas comme lui. Elles refuseraient de croire que vous avez le moindre point commun avec celui qui partage leur vie. Elles ignorent votre mauvaise haleine – ce soir-là, bière et shish taouk. Elles ne savent rien du gros bouton blanc que vous avez dans le dos et que vous n'arrivez pas à pincer parce qu'il est difficile à atteindre. Elles vous trouvent beau. Fier. Solide. Vous êtes une icône. L'homme qui se tient debout, qui refuse les normes, celui qui défonce les portes à coups de lourdes bottes noires. Elles réinventent votre vie, la rendent plus passionnante qu'elle ne l'est vraiment. Vous êtes le rêve d'aventure, celui qui ne passe pas de longues soirées neurasthénique devant la télé ou un quelconque jeu vidéo pour ados attardés. Vous êtes l'être vivant, l'énergie pure. Le mythe.

Les hommes, dans la salle, souhaitent votre mort.

Parce qu'ils veulent votre place. Parce qu'ils disent regretter de n'avoir pas eu le courage, ou le temps, ou l'occasion de pratiquer sérieusement la guitare, sans même se douter des sacrifices et de la discipline qu'il faut pour en arriver là. Vous êtes leur rêve avorté. Seule la rage les empêche de se liquéfier sur place. Vous absorbez cette rage et vous en faites de l'art, vous le leur balancez à la figure. Ils vous admirent, malgré tout.

Vous recommencez à bouger, vous allongez le solo plus longtemps qu'à l'habitude. Le groupe est derrière vous, attentif, prêt à enchaîner le refrain à votre signal. Vous frottez vos cordes de guitare sur le pied de votre micro, vous donnez un coup de cymbale avec le pied, vous approchez votre guitare de l'amplificateur et les bruits de réverbération, aigus et dissonants, emplissent la salle. Le public est en transe. Les hommes, les femmes, vous ne voyez plus qu'une masse sombre et compacte qui monte et descend au rythme de la musique.

Puis, avec votre guitare toujours branchée, l'agrippant par le manche, vous attaquez un coin de la scène avec toute la force dont vous êtes capable. Un coup. Puis un deuxième. Et encore un. Au quatrième coup, la guitare se fend en deux. Les bruits de ferraille qui émanent de l'engin à moitié détruit comblent la foule, qui crie son contentement, excitée de se défouler en symbiose avec vous. Les hommes vous pardonnent tout. Un autre coup. Il ne reste plus que des cordes accrochées à quelques éclats de bois. Vous avez créé, vous avez détruit, vous avez fait ce que le public ne sait pas faire.

Le spectacle est terminé. Vous laissez tomber les restes de l'instrument par terre et vous saluez le public. La sueur vous pique les yeux, votre érection est bien visible dans votre jeans. La foule en veut encore, le groupe vous entoure, vous émergez de votre transe. En entrant dans les coulisses, essoufflé, vous dites : « Hé, Machin Machin ! Fais attention de pas marcher sur un bout de ma japonaise ! »

Après avoir entendu deux de ses chansons, les gens, déçus, commencent déjà à partir. Il faut dire que Machin Machin commence son spectacle avec une ballade de sept minutes.

Vous souriez.

Fred avait tenu à me rencontrer seul à seul. Plutôt que d'aller à son bureau, je lui avais proposé Olive et Gourmando, à deux pas. Terrain neutre ; je savais que j'allais me faire engueuler et je souhaitais minimiser les dégâts. « Bravo. Pour l'autre jour. Votre spectacle. C'était… intense. » J'ai pigé dans ma pile de pâtisseries, puis j'ai engouffré une brioche sans rien dire. Il commençait toujours par les compliments. Je buvais mon café en admirant les serveuses, je tapais du pied, j'évitais son regard. Les silences de Fred m'ont toujours rendu nerveux. Il a inspiré un grand coup. « T'as envie de jouer à l'anarchiste encore longtemps dans des salles vides ou tu veux une vraie carrière musicale ? » Je me suis intéressé au décor. Vraiment, j'adorais l'endroit.

— Parce que je comprends plus, là. Quand tu me parles de ce que tu veux faire, t'as l'air sérieux mais, sur scène, c'est plutôt *Texas Chainsaw Massacre.*

Il m'a rappelé mon père, avec ses reproches. J'ai eu droit à : tu essaies de voler le spectacle, Sandrine manque d'espace, tu fais passer la performance avant la chanson, les finales s'étirent, trop de guitare, énergie mal canalisée, il faudrait ci et ça et moins ci et moins ça pas assez trop moins plus gauche droite couché debout fais le mort donne la patte fais pipi fais dodo fais caca dans le pot. Bref, je ne suis pas assez Machin Machin.

— Alex, arrête de me parler de lui, O.K. ? On dirait que t'es jaloux ! Il te faut des *hits*, tu comprends ? Je veux bien essayer de vous trouver des contrats intéressants, on laisse tomber les premières parties – c'était une erreur –, mais écris des chansons que les gens vont aimer !

Je savais tout ça. C'est de réaliser que le groupe plafonnait déjà, confiné au circuit des bars fréquentés par des bouseux alcooliques, qui me donnait ces envies de tout détruire. J'étais fatigué, je ne savais plus quoi faire pour avancer, mais j'étais incapable d'en parler. Fred avait mille bonnes raisons de nous laisser tomber, moi et mes groupes sans avenir. Et, pourtant, il était là, toujours confiant, avec un sourire affable et des miettes de croissant partout sur sa chemise à deux cents dollars.

— Je sais pas si t'as remarqué mais ton avenir, c'est Sandrine.

Oui, j'avais remarqué. Je me demandais même si le groupe ne nuisait pas à ses chances de réussite. Qui sait si

Fred n'aimerait pas mieux gérer la carrière d'une chanteuse plutôt que celle d'un groupe? L'envie de poser la question était là, mais la peur d'entendre la réponse était plus forte. J'ai réussi à me taire, aidé par une bouchée de brioche pomme-cannelle qui me collait au palais.

À force d'en parler avec les gens de mon entourage, j'avais compris une chose importante: pour un couple, emménager ensemble, c'est le début de la fin. Le plus curieux, c'est que toutes les personnes interrogées habitaient avec leur conjoint, comme si chacun possédait le secret d'une vie de couple réussie mais ne parvenait pas à le mettre en pratique. Je souhaitais être moins con qu'eux. Ils regrettaient tous l'époque où ils n'allaient chez l'autre que lorsqu'ils y étaient invités, par plaisir, ne montrant jamais autre chose que le meilleur d'eux-mêmes, ouvrant la porte sur un appartement tout propre, des chandelles sur la table, des pétales de rose dans le bain, la langue encore engourdie à cause du rince-bouche. L'accueil, à vivre ensemble, me disait-on, ressemble plutôt à ceci: on rentre à la maison fatigué, sale, écœuré de son travail, avec l'idée d'aller se coucher après avoir englouti en vitesse un bol de céréales pour le souper, on se dirige vers les toilettes avec une envie de pisser urgente, presque surpris de croiser l'autre moitié du couple, comme si on l'avait oubliée là, avachie devant le téléviseur, cette petite chose fanée qui nous jette alors un regard morne, se demandant qui est là.

Mais mais mais. Il arrive un moment où le sens pratique empiète sur les principes, où l'on se fatigue de vivre dans un taxi, où l'on n'a plus envie de dormir chez l'autre et de porter les mêmes vêtements deux jours de suite. Bref, arrive le jour où quelqu'un dit, ne faisant, à bien y penser, que réfléchir à haute voix, espérant presque voir son idée ridiculisée, détruite, et qu'on n'en parle plus jamais : « Mais pourquoi on n'irait pas habiter ensemble ? »

Mais oui, tiens, non, hé, pourquoi pas ? Nous nous fréquentons depuis bientôt deux ans, le temps est venu de passer à l'étape suivante, de suivre les règles, de faire comme tout le monde.

Je me suis assis avec Sandrine et nous avons fouillé dans les petites annonces du journal, à la recherche d'un appartement, tout excités.

☆ ☆ ☆

L'amour exige une grande part d'abandon.

Parmi ces choses que j'ai dû abandonner : mon divan à carreaux rouges, verts et jaunes, qui ne s'agence avec rien. Mon matelas, trop dur selon les critères de Sandrine. Tout ce qui est fait de mélamine, comme mon meuble à micro-ondes blanc avec une porte arrachée. Tout ce qui est laminé, incluant mon affiche de *Kill Bill*, avec Uma Thurman dans son habit jaune moulant. Pour résumer, le déménagement consistait à transporter les meubles de Sandrine de chez elle jusqu'à notre nouvel appartement, et les miens de chez moi vers l'Armée du Salut. En espérant, disait-elle, que les pauvres ne soient pas devenus trop exigeants. J'avais tout de même réussi, grâce à d'épuisantes négociations, à garder ma lampe chimpanzé.

Lorsque nous avons apposé nos signatures sur le bail, j'ai eu une pensée pour toutes ces filles que j'avais connues. Pour beaucoup de mes amis, j'étais le seul survivant, le résistant, libre alors qu'eux ne l'étaient plus. Ce n'est pas qu'ils auraient voulu prendre ma place, mais plutôt comme si, chaque fois que je draguais une fille devant leurs yeux, dans les bars, je le faisais aussi un peu pour eux. J'avais le même public que lorsque je montais sur une scène : fier et jaloux à la fois.

Et, maintenant, je rejetais tout ça sans hésiter.

Pour l'amour.

Aaaaaaaaaah, l'amour.

Aaaaaaaaaaaaaaaaaaaaaaaaaaaaaaaaapeurs aaaaaaaaaa
aaaaaaaaaaaaaaaaaaaaaaaaaaaaaaaaaaaaaaaaaaaaaaaaa
aaaaaaaaaaaaaaaaaaaaaaaaaaaaaaaaaaaaaaaaaaaaaaaaa
aaaaaaaaaaaaaaaaaaaaaaaaaaaadoutes aaaaaaaaaaaa
aaaaaaaaaaaaaaaaaaaaaaaaaaaaaaaaaaaaaaaaaaaaaaaa
aaaaaaaaaaaaaaaaaaaaaaaaaaaaaaaaaaaaaaaaaaaaaaaa
aaaaaaaaaaaaaaaaaaaaaaaaaaaaaaaaaaaaaaaaaaaaaaaa
aaaaaaaaaaaaaaaaaaaaaaaaaaaaaaaainconnu aaaaaaa
aaaaaaaaaaaaaaaaaaaaaaaaaaaaaaaaaaaaaaaaaaaaaaaa
aaaaaaaaaaaaaaaaaaaaaaaaaaaaaaaaaaaaaaaaaaaaaaaa
aaaaaaaaaaaaaaaaaaaaaaaaaaaaaaaaaaaaaaaaaaaaaaaa
aaaaaaaaaaaaaaaaaaaaaaaaaaaaaaaaaaaaaaaaaaaaaaaa
aaaaaaaaaaaaaaaaaaaaaaaaaaaaaaaaaaaaaaaaaaaaaaaa
aaaaaaaaaaaaaaaaaaaaaaaaaaaaaaaaaaaaliberté aaaaaaa
aaaaaaaaaaaaaaaaaaaaaaaaaaaaaaaaaaaaaaaaaaaaaaaa
aaaaaaaaaaaaaaaaaaaaaaaaaaaaaaaaaaaaaaaaaaaaaaaa
confiance aaaaaaaaaaaaaaaaaaaaaaaaaaaaaaaaaaaaaaaaa
aaaaaaaaaaaaaaaaaaaaaaaaaaaaaaaaaaaaaaaaaaaaaaaa
aaaaaaaaaaaaaaaaaaaaaaaaaaaaaaaaaaaaaaaaaaaaaaaa

aaaaaaaaaaaaaaaaaaaaaaaaaaaaaaaaaaaaaaaaaaaaaaaaa
aamonogamie aaaaaaaaaaaaaaaaaaaaaaaaaaaaaaaaaaaaa
aaaaaaaaaaaaaaaaaaaaaaaaaaaaaaaaaaaaaaaaaaaaaaaaa
aaaaaaaaaaaaaaaaaaaaaaaaaaaaaaaaaaaaaaaaaaaaaaaaa
aaaaaaaaaaaaaaaaaaaachoix aaaaaaaaaaaaaaaaaaaaaaaa
aaaaaaaaaaaaaaaaaaaaaaaaaaaaaaaaaaaaaaaaaaaaaaaaa
aaaaaaaaaaaaaaaaaaaaaaaaaaaaaaaaaaaaaaaaaaaaaaaaa
aaaaaaaaaaaaaaaaaaaaaaaaaaaarisques aaaaaaaaaaaaaa
aaaaaaaaaaaaaaaaaaaaaaaaaaaaaaaaaaaaaaaaaaaaaaaaa
aaaaaaaaaaaaaaaaaaaaaaaaaaaaaaaaavivreaaaaaaaaaaaa
aaaaaaaaaaaaaaaaaaaaaaaaaaaaaaaaaaaaaaaaaaaaaaaaa
aaaaaaaaaaaaaaaaaaaaaaaaaaaaaaaaaaaaaaaaaaaaaaaaa
aaaacomplicité aaaaaaaaaaaaaaaaaaaaaaaaaaaaaaaaaaa
aaaaaaaaaaaaaaaaaaaaaaaaaaaaaaaaaaaaaaaaaaaaaaaaa
aaaaaaaaaaaaaaaaaaaaaaaaaaaaaaaaaaaaaaaaaaaaaaaaa
aaaaaaaaaaaaaaaaaaaaaaaaaaaaaaaaaaaaaaaaaaaaaaaaa
aaaaaaaaaaaaaaaaaaaaaaaaaaaaaaaaaaaaaaaaaaaaaaaaa
aaaaaaaaaaaaaaaaaaaaaaaaaaaaaaaaaaaaaaaaaaaaaaaaa
aaaaaaaaaengagement aaaaaaaaaaaaaaaaaaaaaaaaaaaaaa
aaaaaaaaaaaaaaaaaaaaaaaaaaaaaaaaaaaaaaaaaaaaaaaaa
aaaaaaaaaaaaaaaaaaaaaaaaaaaaaaaaaaaaaaaaaaaaaaaaa
aaaaaaaaaabonheur aaaaaaaaaaaaaaaaaaaaaaaaaaaaaaaa
aaaaaaaaaaaaaaaaaaaaaaaaaaaaaaaaaaaaaaaaaaaaaaaaa
aaaaaaaaaaaaaaaaaaaaaaaaaaaaaaaaaaaaaaaaaaaaaaaaa
aaaaaaaaaaaaaaaaaaaaaaaaaaaaaaaaaaaaaaaaaaaaaaaaa
aaaaaaaaaaaaaaaentraide aaaaaaaaaaaaaaaaaaaaaaaaaa
aaaaaaaaaaaaaaaaaaaaaaaaaaaaaaaaaaaaaaaaaaaaaaaaa
aaaaaaaaaaaaaaaaaaaaaaaaaaaaaaaaaaaaaaaaaaaaaaaaa
aaaaaaaaaaaaaaaaaaaaaaaaaaaaaaaaaaaaaaaaaaaaaaaaa
aaaaaaaaaaaaaaaaaaaaaaaaaaaaaaaah. L'amour.

☆ ☆ ☆

3.

J'ai rejoint le groupe au café Vernazza. Sandrine a jeté son regard dans le mien, comme un appel à l'aide. À ce que je pouvais comprendre, personne n'avait encore dit un mot. Tous les sachets de sucre avaient été froissés, les serviettes de papier tordues dans tous les sens. Avec un peu d'imagination, on pouvait sentir l'odeur de la poudre à canon. C'est Laurie qui a tiré la première, sans lever les yeux de son café : « Alex, c'est quoi les chansons de merde que tu nous écris depuis des semaines ? »

Une seule balle, à bout portant. Le silence qui a suivi m'a confirmé que Francis et Manu étaient du même avis. Sandrine a pris sa tasse de café et s'est installée au bar pour me laisser la place. J'ai préféré rester debout. J'ai sorti mon cellulaire et j'ai composé le numéro d'urgence. En cas de mutinerie, appeler Fred. Je lui ai dit où nous étions et je lui ai laissé une dizaine de minutes pour s'amener.

Ils m'ont dévisagé comme si je venais de livrer Jésus aux Juifs. S'ils souhaitaient salir leur linge propre en famille, nous allions le faire, mais pas sans l'imprésario. Il a mis sept minutes pour arriver. L'œil chassieux et glauque, les cheveux aplatis d'un côté, la chemise mal boutonnée, pas beau à voir. Je l'avais réveillé. Je lui ai déposé une tasse de café dans les mains et j'ai rejoint Sandrine au bar. Sans préambule ni politesse, Fred leur a demandé c'était quoi leur «crisse de problème». Le problème, d'après eux, était ce virage commercial que Sandrine et moi tentions d'effectuer.

— Je sais pas si vous le savez, mais j'ai fait entendre votre maquette à des producteurs qui ont même pas voulu l'écouter jusqu'au bout. Vous avez besoin d'un *hit*, me semble que ça doit pas être si souffrant que ça, non, jouer une toune que le monde va aimer? Sandrine, Alex et moi, on essaie de vous sortir de l'obscurité, vous pourriez pas nous aider un peu?

Avant que les protestations s'élèvent, il a poursuivi:

— Vous êtes pas tannés de jouer dans des salles minables, pour un cachet minable, devant un public minable? Avez-vous déjà entendu parler de ça, la rentabilité? Le succès, ça passe par les radios, puis pour passer à la radio, c'est pas compliqué: tu composes une chanson pour enfants puis tu colles un texte qui parle de peine d'amour par-dessus. Arrêtez de vous prendre pour le petit groupe alternatif branché de Detroit ou de New York! Ce que vous jouez, en ce moment, ça marchera jamais au Québec. Jamais. Ici, on est dix ans en retard sur le reste du monde. C'est plate, mais faut vivre avec ça.

Fred n'est pas un fin psychologue. Mais le message avait l'avantage d'être clair, honnête et direct. Je me tenais prêt à intervenir si quelqu'un se levait pour lui casser les dents. À mon avis, c'était pour bientôt. Et il en rajoutait:

— Laurie, dis-moi ce que t'aimerais le mieux : souiller ta belle âme chaste et pure à jouer des tounes pop ou continuer de travailler dans un magasin de disques le reste de tes jours ? Alex, il serait temps que tu leur apprennes la nouvelle.

Il souriait, heureux de me laisser poursuivre.

— J'arrête les Mal Élevés.

Silence dramatique. Regards froids, sans émotion. Soit ils attendaient les détails, soit une mystérieuse force maléfique venue d'un autre monde les avait transformés en zombies.

— Je suis tanné des projets qui marchent pas. Avec les Mal Élevés, on s'est plantés. En plus, je chante mal ! Kitchen, avec Sandrine qui chante, on peut arriver à quelque chose. Mais pas si on continue de même.

Surpris, mais aussi rassuré qu'ils soient encore là à m'écouter, je me suis offert une thérapie express, leur dévoilant mes réflexions, angoisses et conclusions des dernières semaines : je n'ai plus envie d'exercer mon art dans l'anonymat. À trente-deux ans, je désire me bâtir un avenir. Cet avenir passe par la musique pop. Une chanson commerciale n'est pas nécessairement mauvaise, ça peut encore être de l'art. J'ai dit aussi que je souhaitais réussir tout ça avec eux. Discours émotif, touchant, grandiose. Aucune réaction. Manu avait posé ses baguettes et regardait ailleurs.

— Manu, j'aimerais que tu nous dises ce que tu fais comme travail, puis si t'aimerais pas mieux vivre de ta musique, même si ça t'oblige à faire des compromis artistiques.

J'ai vu de la terreur passer dans ses yeux. Il n'avait jamais voulu me dire comment il gagnait sa vie.

— Francis, faire jouer le «Bunny hop» et la «Macarena» dans des noces, ça te passionne tant que ça?

Il a ramassé ses affaires, puis s'est approché. Nos nez se touchaient presque.

— Sais-tu pourquoi on a tous des jobs, Alex? On a des jobs justement pour pas avoir à dépendre de la musique pour payer nos loyers, pour pouvoir créer sans avoir à faire les putes! C'est pour ça que j'aimais travailler avec toi, le grand, parce que t'étais pas obsédé par l'envie d'entendre tes chansons dans les stupides radios commerciales.

Ils étaient tous debout, prêts à partir, alors que j'avais besoin de m'asseoir. J'ai demandé que ceux qui souhaitaient encore travailler avec Sandrine et moi se présentent au local de répétition, vendredi matin à huit heures. Personne n'a donné le moindre signe qu'il y serait.

Sandrine, troublée, a préféré rentrer à l'appartement et me laisser seul avec Fred, qui se demandait si nous n'en avions pas trop fait, ou trop dit, ou trop dit et pas assez fait. «Votre spectacle, dans dix jours, il va se passer quoi?» Je lui ai promis que nous serions là, même si nous devions faire un spectacle acoustique, rien que Sandrine et moi.

Il m'a dit: «C'est drôle, c'est dans ce café-ci que Lombard fixe ses rendez-vous. Tu savais qu'il a reçu un lave-vaisselle sur le toit de sa BMW? Il a promis d'égorger le taré qui a fait ça…» Je me suis contenté de hausser les épaules, d'un air innocent, en attendant qu'il trouve un autre sujet de conversation. «Et pour Marie-Jeanne? La chanson, ça avance?»

Je l'avais oubliée, celle-là. Je me suis promis d'essayer de lui écrire un truc. Bientôt. Nous sommes partis chacun de notre côté, dans nos pensées, chacun s'interrogeant sur l'avenir du groupe. L'avenir? Quel avenir?

☆ ☆ ☆

Ce qui pousse la plupart des gens à poursuivre leur carrière : ce besoin viscéral de s'investir à fond dans ce qui les passionne, de persévérer malgré les coups durs, l'envie de croire à ce qu'ils font malgré le jugement ou, pire, l'indifférence des autres. Repousser ses limites. *Just do it.* Aller là où l'homme n'est jamais allé avant. *One small step for a man, one giant leap for mankind.* Ce qui me pousse à poursuivre ma carrière musicale : je ne sais rien faire d'autre.

J'ai parfois l'impression d'être le seul à me poser ces questions : si ça ne marche pas, je me tourne vers quoi? J'attends combien de temps avant de perdre patience et de passer à autre chose? Pourquoi rien ne rime avec simple?

Je me suis installé devant le téléviseur avec un bol de céréales sucrées, pleines de guimauves de toutes les couleurs. C'est magique : chaque fois que j'ouvre cet appareil, il me brouille les ondes du cerveau et m'évite de réfléchir.

Il y avait là une jeune chanteuse qui venait tout juste de gagner un concours. La gloire instantanée. Elle terminait sa chanson, une main en l'air, une main sur le cœur, une main sur son micro, une main posée sur son front – des mains partout –, éructant des émotions aussi grandiloquentes que fausses. Le public, composé de vieillards et de handicapés mentaux, applaudissait autant que le permettait l'arthrite ou le degré de lucidité de chacun. Elle était pimpante, enthousiaste, et elle avait un message important pour nous, admirateurs fiévreux, qui regardions la télévision un samedi soir en ne faisant rien de nos vies: «Lâchez pas, c'est possible de réaliser nos rêves!» Ses dents trop blanches, sous l'éclairage de la scène, m'obligeaient à plisser les yeux.

D'ici deux ans, ta compagnie de disques t'aura remplacée par une autre. Tu animeras un quiz télévisé, tu sombreras dans l'alcool et les drogues, la dépression te bouffera par en dedans, et tu accepteras de sucer n'importe quel vieux porc de l'industrie musicale pour te prouver que tu séduis encore.

Et peut-être que je serai là, devant le téléviseur, amer et inconnu, à regarder ton quiz.

☆ ☆ ☆

Jusqu'à ce jour, habiter avec une femme m'avait paru d'une étonnante simplicité. Je ne me méfiais plus, malgré qu'on m'ait tant parlé des souffrances que j'allais devoir endurer; non, sincèrement les gars, je leur disais, je ne comprends pas pourquoi vous m'annonciez des jours aussi cauchemardesques.

Puis, l'horreur.

J'avais passé la journée en studio à jouer et rejouer les mêmes lignes de guitare pour l'indicatif d'une émission de radio. Le directeur musical de la station, qui n'y connaissait rien, m'avait fait recommencer des dizaines de fois. Monsieur jouait à l'artiste et y allait de ses commentaires et conseils sur ma façon de jouer. Ça s'était terminé en engueulade entre l'inculte et le technicien de son qui, lui, me donnait raison : la première piste était la bonne, comme c'est souvent le cas. J'avais envoyé chier l'abruti et rangé ma guitare, pour leur signifier que le travail était accompli. Ce seront probablement mes héritiers qui recevront le chèque, longtemps après mon décès.

J'étais de retour chez moi, fatigué. J'ai lu la note, retenue par un aimant sur le frigo : « Partie avec Lou voir film de filles. Pas eu le temps de ranger. Ton père a appelé. Bisous xxx. » J'ai déposé mes trucs un peu partout. Je me suis déshabillé ; j'avais besoin de me laver, souillé d'avoir dépensé tant d'énergie pour si peu. Je n'arrivais pas à voir ce qui n'était pas rangé, l'appartement me semblait impeccable.

La salle de bain.

J'ai cru d'abord qu'un écureuil y avait explosé. J'ai poussé un cri de surprise en quittant la scène du crime, sans m'attarder aux détails du massacre. Heureux que personne ne m'ait entendu. J'ai patienté quelques minutes, pour me calmer, et j'y suis retourné, armé d'un couteau de cuisine. Des lambeaux de chairs poilues gisaient çà et là, gluants et mous. Il y en avait dans le lavabo, appuyés sur le bord de la baignoire, partout. Une odeur de poudre pour bébé empestait la pièce, je tentais de comprendre comment un poupon avait pu dépecer un petit animal aussi violemment. De la pointe du couteau, j'ai tâté un bout de chair de la malheureuse victime.

Ce n'était qu'un bout de tissu. Les poils y semblaient collés par un genre de cire. Puis, enfin, j'ai vu le pot : « Épilvite ». Ces poils, nombreux, figés dans de la paraffine, étaient ceux de Sandrine.

Les filles ont du poil.

Pourquoi personne ne m'a jamais dit ça? Pris de nausées à cause de l'odeur, j'ai tout ramassé du bout des doigts. Il m'a fallu frotter longtemps la cire collée partout avant de pouvoir aller sous la douche, encore déstabilisé par cette découverte. Je me demandais si j'allais apprendre encore bien des secrets. Les filles ont-elles des plumes? des écailles? un sixième sens?

Chaque nouveau jour apporte ses promesses d'apprentissage. Vivre en couple, c'est pouvoir découvrir, échanger, partager ses connaissances. C'est ainsi que j'ai appris que le papier hygiénique a un sens. En effet, le rouleau devrait se dérouler à partir du dessus plutôt que du dessous, devenant ainsi beaucoup plus facile à manier. Sandrine m'a révélé cette précieuse information alors qu'elle venait voir ce que je faisais dans la salle de bain. Elle m'avait demandé, une demi-heure plus tôt, d'aller lui chercher sa crème pour les mains, celle avec de la vitamine E et de l'aloès. J'avais regardé sur toutes les tablettes. J'avais sorti tout ce qui était sous le lavabo. Rien.

Elle m'a regardé en soupirant, puis elle a tiré sur un côté du miroir. Il y avait une étagère derrière! Comment aurais-je pu deviner que des tablettes se cachaient là? J'ai retrouvé avec bonheur les Advil, les Maalox antiflatulents, les Sinutab, le Dristan, les gouttes pour les yeux, les Sudafed et le Pepto-Bismol que j'avais tant cherchés. Et sa crème pour les mains. «Une pharmacie», m'a-t-elle dit, «on appelle ça une pharmacie.» Docile, j'apprenais. «Puis, pendant qu'on est là, le rouleau de papier hygiénique va de ce côté-ci et pas de ce côté-là. Quand tu laves le bol de toilette, il faut faire attention de bien frotter en dessous, juste ici. Il faut remettre le savon dans le porte-savon, sinon il s'imbibe d'eau. Aussi, c'est très important de bien tordre la débarbouillette, sinon elle se met à puer.» J'ai cru que c'était terminé.

— Veux-tu que je te coupe le poil d'oreilles?
— Quoi?

Elle m'a fourré deux doigts dans l'oreille et elle a tiré. «T'as du poil qui dépasse. C'est dégueu.» Elle avait déjà les ciseaux à la main. Je me suis laissé faire; la question n'en était pas vraiment une, mais plutôt une indication de ce qui allait se passer.

Et ça en valait la peine: le lavabo s'emplissait de poils noirs. Le téléphone a sonné, Sandrine est partie à la recherche d'un téléphone: deux appareils sans fil dans l'appartement, jamais posés au même endroit. Je l'ai attendue, patient, assis sur le couvercle de toilette. Je l'ai vue passer, ombre rapide et floue, elle enfilait des vêtements et assurait la personne au bout du fil qu'elle y serait dans quinze minutes. Elle m'a parlé d'un rendez-vous chez le coiffeur qu'elle était en train d'oublier. Elle a appelé un taxi. M'a embrassé en m'empoignant les couilles. M'a laissé seul devant le miroir à me contempler les oreilles: une avec poils, une sans. J'ai tenté d'achever le travail, sans réussir à viser juste. Alors, j'ai abandonné.

Je me suis versé un grand bol de céréales, puis je me suis trouvé de la lecture: un photoroman de 1981 avec Robert Gligorov, un sosie de Claude François, extrait de la collection de revues abandonnées par ma mère dans l'humidité du sous-sol de la maison familiale. C'est maintenant moi qui possède ses *Lancio Color*, ses *Lucky*, ses *Feelings* et ses *Charmes*, que je lis et relis avec attention.

À chacun ses défauts.

J'ai entendu un gros *flaaak!* dans l'entrée. J'ai laissé mes céréales sucrées s'imbiber de lait pour aller voir ce que le postier m'apportait comme bonnes nouvelles. Des chèques pour Sandrine, comme d'habitude. Il suffit qu'elle aille en studio susurrer le nom d'une radio, en simulant un orgasme, pour amasser ce que je gagne en un mois de travail.

J'ai remarqué la voiture garée en face, une BMW tout juste sortie de l'usine et qui brillait au soleil. Tiens, tiens. J'ai boutonné ma chemise et j'ai traversé au café Vernazza. Je me suis assis au comptoir sans regarder personne. Mattéo m'a servi un cappuccino que j'ai regardé d'un air dédaigneux, en expliquant une fois de plus que je ne bois que des espressos allongés avec du lait chaud. Hélèna est venue me rejoindre. Je me suis facilement composé un air surpris : « C'est la nouvelle BMW de votre mari, en avant ? » J'étais là pour m'assurer que son mari n'avait pas trouvé qui avait démoli sa voiture, mais, puisque Hélèna m'était plutôt sympathique, après une heure de bavardage elle savait tout de mes angoisses les plus récentes : après tant d'années à m'éreinter sur un manche de guitare, j'étais toujours sans contrat de disque et mon groupe m'avait peut-être abandonné. Je commençais à me dire que ça ne marcherait jamais.

Encourageante et optimiste, elle ne comprenait pas pourquoi je n'avais pas envoyé la maquette à Lombard. Comment dire à une femme que son mari n'est qu'un ignorant pervers ? Signer un contrat de disque avec lui était un dernier recours, comme pouvait l'être la mort pour un maniaco-dépressif : une possibilité, certes, mais qu'on préfère éviter, en espérant qu'une solution plus décente se présente. Un miracle, l'apocalypse, n'importe quoi d'autre.

Je m'en allais lorsque Didier Lombard est entré. « Tiens, mon bon ami Alexandre ! » Il a paru sourire en me serrant la main, mais le Botox fraîchement injecté me laissait dans le doute. Il m'a demandé si j'habitais dans le coin. « En face », ai-je répondu, moi-même surpris de ma candide stupidité. Il a pris un instant pour réfléchir.

— Si jamais un de tes voisins cherche son lave-vaisselle, tu lui dis de venir me voir, d'accord ? Allez, je te retiens pas plus longtemps, je rencontre des producteurs français dans quelques minutes.

Il m'a guidé vers la porte d'un grand geste du bras, comme si nous étions dans son bureau. Hélèna m'a salué en buvant son café.

— En passant, Alexandre, tu connaîtrais pas une bonne chanteuse qui pourrait faire carrière en France ?

Je ne voyais pas, non.

— Une fille éclatée, énergique, belle et bien dans son corps, non ?

J'ai promis de l'appeler si je trouvais une marionnette intéressée à lui donner son âme, et je suis rentré chez moi. Mes Cric Crac Yummy Sugar Puffy Stuff n'étaient plus qu'un tas de boue rosâtre. L'évidence, inacceptable, m'a frappé alors que je rinçais mon bol : ce gros débris était la seule chance qu'il nous restait de signer un contrat de disque.

J'avais attendu ce moment toute la semaine. Incapable de me concentrer sur autre chose, j'avais tenté de prévoir la suite si

Sandrine et moi n'étions plus que les restes d'un groupe en miettes. J'accumulais les nuits de mauvais sommeil. Impatiemment, je patientais.

Cinq heures du matin.

Je me traînais dans l'appartement après avoir tenté de lire, d'écrire, de me concentrer sur n'importe quoi plus de cinq minutes. Je me suis assis devant le téléviseur en m'attardant quelques secondes à chaque chaîne sans rien trouver d'intéressant. Ou, tiens, oui, alors que je m'aventurais dans les canaux brouillés, à la recherche d'un film où je pourrais entrevoir un sein ou une fesse de temps à autre, j'ai découvert une émission fascinante au canal autochtone. Un Inuit. À la pêche. Assis devant un trou creusé dans la glace. On ne lui voyait que les yeux, emmitouflé qu'il était dans un parka décoloré. Il attendait. J'avais beau monter le volume, rien pour nous distraire. Il pêchait en silence. Caméra fixe, homme solitaire. J'assistais à ce qui m'a semblé être la première émission de téléréalité autochtone. D'une patience exemplaire, ce bonhomme. Seul devant le trou, attendant que morde à l'hameçon la récompense de sa dure journée.

Ou bien il était mort de froid depuis des heures. Et le caméraman aussi. Mais non. Soudain, sans prévenir, hop, avec des gestes d'une extrême lenteur, il a rangé son attirail dans un camion. Il s'est activé une dizaine de minutes puis il est parti, laissant la caméra et peut-être aussi le caméraman derrière, seul sur le lac, livré à l'appétit des loups, alors que le générique défilait.

Cinq heures trente.

J'ai préparé un litre de café filtre que je suis allé boire sur le balcon, une tasse à la fois. Sandrine est apparue dans l'embrasure de la porte à sept heures quarante-cinq, fraîchement lavée, mordant une rôtie au beurre d'arachide. «Stressé?» Son sourire optimiste m'a rassuré. J'ai filé sous la douche en lui disant de ne pas m'attendre, que je ne voulais pas être le premier à arriver au local. J'ai pris mon temps.

Le téléphone a sonné. C'était Fred, inquiet. Huit heures dix. J'ai répondu à toutes ses questions : je descends au local dans un instant, oui, je suis stressé, non, je ne sais pas s'il reste encore des membres dans notre groupe, oui, je te rappelle dès que j'arrive en bas.

Cette semaine d'attente et d'insomnie m'avait permis de réaliser que je ne voulais pas que mes musiciens m'abandonnent, que j'avais envie de poursuivre ma carrière en leur compagnie. Le chemin m'a paru long, même s'il ne s'agissait que de descendre l'escalier pour me rendre au garage. J'ai ouvert la porte, j'ai sorti mon cellulaire et je l'ai tout de suite appelé. Il a répondu avant la fin de la première sonnerie.

— Fred?

Le 7 juillet 2005, Grégoire J., candidat rapidement éliminé de Loft Story France, *se masturbe, nu, devant sa webcam, la tête penchée vers l'arrière sur sa chaise en cuir noir.* «J'espère que quelqu'un me regarde», *se dit-il, juste avant de s'éjaculer sur le ventre.*

4.

—C'est fini. Je lâche la musique. Je lâche le groupe. Je lâche la guitare. Je lâche toute c't'estie de business de marde-là.

Je ne m'adressais à personne en particulier. De toute façon, personne n'osait m'approcher. À l'autre bout de la grande loge, assis sur n'importe quoi, divan, chaises, bout de comptoir, des bières à la main, les membres des trois groupes m'observaient en silence. En la tenant par la courroie, j'ai fait tournoyer ma guitare au-dessus de ma tête, alors que les yeux s'écarquillaient. J'étais devenu fou, se disaient-ils, cherchant un abri. J'ai jeté l'objet par terre, devant moi, dans un grand bruit de bois fendu qui a fait grimacer quelques musiciens. D'un coup de pied, j'ai balancé les restes de l'instrument jusque sous un divan : les trois personnes qui y étaient installées n'ont eu qu'à lever les jambes pour éviter ma Telecaster. J'ai lancé mon laissez-passer V.I.P. dans une poubelle. Une chanteuse aux cheveux rouges a risqué un commentaire, disant que je devrais le garder; j'en aurais besoin si mon groupe se rendait en finale.

— Regarde-moi bien, c'est la dernière fois que tu me vois dans un concours.

Elle a haussé les épaules. Elle voulait bien être gentille mais s'apercevait que je ne le méritais pas. Elle est partie en bousculant les membres de mon groupe qui s'approchaient. Juste à les regarder, avec leurs regards troubles de fumeurs d'herbe, il y avait de quoi s'écœurer de la musique. J'ai levé les bras en l'air en secouant la tête: « Oubliez ça. Je lâche tout. Ce serait cool si vous pouviez ramener mes affaires au local. Je vais passer les ramasser demain matin, essayez de pas être là. »

Tout le spectacle avait été de travers. Ou, non, c'est plutôt moi qui venais de découvrir tous les travers du groupe. Notre chanteur modifiait sans cesse les mélodies, il en oubliait aussi la moitié de ses textes qui, de toute façon, étaient minables. Le batteur attaquait les pièces sur un rythme trop rapide. Le bassiste jouait d'un instrument désaccordé sans s'en rendre compte. Personne ne s'écoutait jouer. Deux ans que je répétais avec eux, deux ans que rien ne s'améliorait.

Dans la salle, le public attendait l'arrivée du dernier groupe. Assoiffé, je me suis assis au bar et j'ai englouti une bière en quelques gorgées. Je puais, j'avais chaud. Sur le siège voisin, un grand Italien me souriait. Impassible, l'air de ne pas l'avoir remarqué, j'ai donné mon deuxième coupon au serveur. Deux bières gratuites: le salaire moyen donné par les gérants de bars qui organisent ce genre de concours. L'idée est simple: pourquoi payer les groupes chaque soir alors qu'on peut se contenter de n'en payer qu'un, qu'on déclarera « grand gagnant », et ne rien donner aux autres? Enculez les groupes de la relève sans leur consentement et apprenez-leur à dire merci.

J'ai bu ma deuxième bière en regardant droit devant moi. Sans émotion particulière, la tête vide, comme chaque fois que je prenais des décisions importantes. J'ai senti le regard de l'écornifleur toujours posé sur moi.

— Excusez-moi.

Je me suis tourné vers lui, il souriait comme s'il voulait me convaincre que Dieu existe et que je pouvais encore être sauvé. Je lui ai demandé le plus sèchement possible ce qu'il me voulait. « Fred Campiglia, imprésario. J'aime beaucoup ce que tu fais. » Il m'a tendu la main. Ce que je fais ? Je monte et je descends des gammes et des arpèges sur un manche de guitare, d'une seule main, en ne pensant à rien, je plaque des accords, je prends des notes, je fume et je bois en attendant l'inspiration, il me vient des idées de refrains alors que j'écoute jouir des filles sans nom de famille qui s'agitent au-dessus de moi dans des chambres où je ne vais qu'une seule fois, je regrette de ne pas avoir de calepin en enfilant mes boxers, j'oublie les paroles en revenant chez moi, j'écris des chansons pour ces filles que je n'aime pas, je compose des mélodies qu'on écoute dans les bars sans trop y prêter attention, en prenant des nouvelles des amis, en buvant, en fumant, en attendant de retourner travailler, de faire quelque chose d'utile, et pendant que d'autres recyclent et soignent et réconfortent et militent et décident et s'inquiètent, je m'agite les doigts sur un manche de guitare, je ne fais rien, je n'ai jamais rien fait, et je viens tout juste de prendre ma retraite. Il aime ce que je fais ?

Abandonnant l'idée de me serrer la main, il a déposé sa carte près de ma bière. « Si tu cherches à former un vrai bon groupe, quelque chose de sérieux, tu m'appelles. Je peux te trouver des musiciens, des vrais, pas des amateurs comme ta bande de petits morveux, tu comprends ? »

J'ai observé sa carte sans répondre. Une fille a posé sa main sur mon épaule, brunette à lulus, sourire à mordre dedans, elle tenait à me féliciter de ma performance. Je lui ai dit à l'oreille quelques trucs salaces au sujet de mes performances en dehors de la scène. Elle a ri en rougissant, la main devant la bouche. Je lui ai suggéré de me donner son numéro de téléphone, disant qu'on pourrait monter ensemble un petit spectacle de musique de chambre en duo. Elle m'a demandé de quoi écrire. Elle aurait peut-être accepté quelques préliminaires dans un coin discret des loges, mais je n'avais pas le moral.

— Fred, tu me prêtes un stylo?

Il n'avait rien manqué de la scène. Je me suis servi de la carte de Fred pour noter le numéro de cette Valérie, j'ai terminé ma bière et je suis parti sans les regarder. J'ai marché jusque chez moi, misérable, étonné qu'il n'y ait pas d'orage qui me tombe dessus pour ajouter à mon malheur. J'ai tout de même réussi à mettre le pied dans une merde de chien grosse comme un banana split.

☆ ☆ ☆

Mardi matin, huit heures, je tenais mes promesses. Mon frère avait accepté de m'aider à sortir toutes mes affaires du local de répétition. Trois guitares, deux amplificateurs, une dizaine de pédales d'effet, des micros, des fils, un lutrin, je fouillais dans tous les coins pour ne rien oublier. Michel, sans dire un mot, empilait tout ça dans son camion. Comme je l'avais demandé, aucun membre du groupe n'était présent.

Ils respectaient ma volonté, mais j'étais déçu qu'on ne tente pas de me retenir.

J'ai laissé une enveloppe contenant ma part de location du local pour les deux mois suivants, puis j'ai rejoint mon frère. Il a jeté sa cigarette par la fenêtre. Nous sommes partis.

— T'es sûr que tu vas avoir de la place dans ton trois et demi pour toutes ces cochonneries-là ?

Je lui ai dit que nous n'allions pas porter le matériel chez moi, mais dans une boutique d'instruments d'occasion. Son visage s'est illuminé. J'avais eu beau m'y préparer, j'ai eu des nausées en voyant son sourire triomphant.

— Viens pas me dire que tu te décides enfin à venir travailler avec le père ?

— J'ai rien décidé encore, mais tu peux être sûr que ça fait pas partie de mes choix. Et arrête de l'appeler « le père », tu parles comme un fermier.

Son sourire s'est élargi encore. « C'est là. » Je lui ai demandé d'attendre dans le camion, sinon, à voir sa gueule de gros con musclé, ils allaient penser que nous venions de voler tout ça.

Le bonhomme jubilait ; pour lui, c'était Noël. J'ouvrais les étuis de guitare et chaque fois il émettait un « Ooooh ! » admiratif. Il faut dire que je n'avais que des instruments de qualité : Gibson semi-acoustique, Stratocaster 1985 – la première guitare que je me suis achetée –, Fender Mustang 1965, amplificateur Fender twin à lampes, amplificateur Vox. « Ça va se vendre très vite, boss. Des bonnes guitares pour gaucher, c'est en demande ! Et tes amplis ! *Wow !* » Je n'avais jamais vu le propriétaire d'une boutique d'instruments d'occasion perdre autant son sang-froid ; ils s'arrangent d'habitude pour vous faire croire que votre matériel ne vaut plus un sou et qu'ils vous font une faveur en vous offrant quelques dollars froissés. Celui-là ne clignait plus des yeux en admirant son butin. J'ai accepté sa première offre.

Je suis sorti de là avec un léger vertige à l'idée de ne plus avoir de guitare. Michel roulait lentement pour me ramener chez moi, il prenait le temps de siffler les jolies filles. Recroquevillé sur mon siège pour éviter qu'on me remarque, je me suis demandé comment j'allais maintenant gagner ma vie.

J'ai vivoté pendant un an. L'orgueil me poussait à refuser l'aide de mes amis. Daniel m'a offert de travailler avec lui à sa boutique de disques, Nicolas m'a proposé de lui donner un coup de main pour démarrer son entreprise : j'ai tout refusé. Mon père m'a offert une fois de plus de m'impliquer dans l'entreprise familiale de paysagement : j'ai ri.

« T'as tout lâché ? Tes élèves de guitare ? Tes contrats ? Tu vas vivre comment ? » était le commentaire qui revenait le plus souvent. J'ai vécu quatre mois sur l'argent de la vente de mes instruments de musique. Puis, un jour, j'ai voulu retirer vingt dollars à partir d'un guichet automatique : transaction refusée. *Le solde disponible dans ce compte est de 00.00 dollar.* J'ai été moins réticent à accepter les offres.

Je me suis même jeté sur la première qu'on m'a faite. Il s'agissait d'un travail de bureau, proposé par la sœur d'une fille avec qui je couchais parfois. Un truc facile, je traduisais en vitesse les communiqués qui arrivaient du siège social de Toronto et je les transférais ensuite au personnel. Ça évitait de rappeler aux employés qu'ils étaient depuis peu sous la gouverne d'une poignée d'anglophones qui cherchaient à les mettre à pied. Pourcentage du cerveau utilisé pour accomplir mes tâches quotidiennes : moins de dix pour cent. Dans l'état où je me trouvais, c'était parfait.

Travailler m'évitait de réfléchir. Ma défaite me semblait aussi moins lourde à porter, puisque ces gens ignoraient tout de mon passé de musicien. Je vivais sans projets, sans soucis, sans penser à l'avenir. Je singeais mes collègues : j'attendais dix-sept heures en buvant du café, en travaillant un peu, en chialant sur tout et sur rien. Automate ergonomisé. Unité travaillante lobotomisée. Syndiqué censuré. J'ai même suivi leur exemple et j'ai affiché la photo d'un animal de compagnie dans mon petit espace personnel : un chat écrasé au bord d'une route, les yeux sortis de la boîte crânienne défoncée. Je me délectais du malaise des gens qui s'attardaient à mon bureau.

Les filles étaient ravies de rencontrer un nouveau venu sur qui tester leurs charmes et, par la même occasion, calmer leur insécurité pour quelque temps. Elles se laissaient payer des verres le vendredi après le travail, nous terminions ça chez elles ou chez moi, selon qu'il y avait ou non un cocu dans l'histoire. J'étais l'excitant petit écart de conduite qui accompagne toute vie bien réglée.

Aux pauses on me parlait de REÉR, d'hypothèque, de portefeuille d'actions à risque contrôlé, je n'y comprenais rien. Je disais « oui, oui, ah oui, super » en souriant d'un air enthousiaste. Tous les jours se ressemblaient, les mois filaient sans laisser de souvenirs.

À côté du bureau, il y avait une boutique d'instruments de musique. Je passais devant tous les jours de la semaine sans lui accorder un regard.

Un peu avant le congé de Noël, le patron gambadait dans les allées avec un tas d'enveloppes. C'était la prime d'équipe dont tout le monde parlait depuis des semaines, celle qui venait couronner une année exceptionnelle. J'ai observé avec une nausée grandissante la joie qui gagnait mes collègues. Continue à te morfondre dans ce bureau, Alex, et recevoir ce chèque sera la chose la plus excitante qui t'arrivera dans la vie. Chaque année, à la même date : petit cri de joie, merci au patron, regain d'énergie momentané, dépense de la prime en cadeaux de Noël. Asservissement. Engourdissement. J'ai ouvert mon enveloppe. Avec ce montant, je pouvais m'offrir une Stratocaster américaine avec un manche en bois de rose.

Je me suis extirpé de ma chaise ergonomique sans difficulté. J'ai appelé l'ascenseur. Les collègues m'ont regardé sans comprendre : la pause n'était que dans quatre minutes.

Cette vie n'est pas la mienne. Elle ne me convient pas. Je ne suis qu'un imposteur. Je me suis trompé. Tout ce confort me rend dingue. Votre bonheur apparent me terrifie. Je n'ai rien à faire ici.

Les portes de l'ascenseur se sont refermées, je n'avais même pas pensé m'emplir les poches de fournitures de bureau avant de partir. En sortant dans la rue, j'ai respiré. Ma première vraie respiration depuis un an. Je me suis arrêté devant la boutique d'instruments de musique.

Arrivé chez moi, j'ai posé ma nouvelle guitare sur le divan puis j'ai décroché la carte affichée depuis un an sur mon babillard : Fred Campiglia, imprésario.

Il se souvenait de moi, semblait même très heureux de mon appel. Et pas du tout étonné que j'aie attendu si longtemps

avant de l'appeler. Je l'ai vite mis au courant de ma situation : je n'ai plus un sou, je n'ai aucun contrat, je n'ai pas joué
depuis un an, je n'ai plus qu'une guitare, j'accepte toutes les
offres. Je voulais jouer de la musique. Faire cinq heures de
gammes et d'arpèges par jour pour me remettre en forme.
Il prenait des notes alors que je lui dressais la liste de tout ce
dont j'avais besoin. Un amplificateur à lampe. Un lutrin. Un
tas d'accessoires. Il n'a posé aucune question sur mon mystérieux manque de matériel. « T'as des nouvelles compositions ? » Je lui ai promis que j'en aurais une semaine plus tard,
nous avons convenu d'une rencontre à ce moment.

Il n'avait pas changé depuis un an : complet noir taillé sur
mesure, cheveux courts fraîchement coupés, toujours aussi
chic et décontracté. Son sourire, cette fois, m'inspirait confiance. Il avait l'air de celui qui allait me sortir de la dèche.
Il a pris des billets de son portefeuille, sans trop les compter. Des coupures de cent dollars, principalement. Pour moi.
J'ai serré l'argent très fort dans mes mains, l'œil humide,
notre collaboration débutait bien. J'étais prêt à écouter
toutes ses propositions. Il a sorti une chemise de sa mince
valise métallique. Mon nom était inscrit dessus en caractères
d'imprimerie. Il a lu mon agenda des deux prochains mois :
j'avais trois contrats pour des publicités radiophoniques, je
devais écrire l'indicatif d'une nouvelle série télévisée, participer à un concours de guitaristes et former un nouveau
groupe, un vrai, un bon, pour interpréter mes compositions.
J'étais essoufflé rien qu'à lire mon prochain emploi du
temps.

— Oublie le concours. Je fais plus de concours.

Un stylo à plume lui est apparu dans les mains. Il a rayé
le concours et m'a regardé d'un air satisfait. Je lui ai demandé

comment il avait fait pour m'avoir tous ces engagements en aussi peu de temps.

— J'ai mis à la porte un guitariste qui t'arrivait pas à la cheville.

Lui voulait savoir ce que j'avais fait tout ce temps, pourquoi j'avais attendu si longtemps avant d'appeler. Vacances. Voyages. C'est tout ce que j'ai trouvé. Il a hoché la tête sans demander plus de détails, un sourire narquois aux lèvres. Il m'a prié de le suivre jusqu'à sa voiture.

Sur le siège arrière m'attendaient un ampli Fender Vibrolux ainsi qu'un sac contenant tout ce que j'avais réclamé. Efficace, ce Fred. Je lui ai refilé trois nouvelles compositions en échange. J'ai précisé qu'il était normal que l'enregistrement soit rudimentaire : je m'étais servi d'une guitare électrique sans amplificateur et d'un vieux répondeur téléphonique à cassettes, il m'avait fallu murmurer la mélodie pour qu'on puisse entendre la guitare. Il m'a demandé si je cherchais un chanteur ou une chanteuse pour former le groupe. C'est à ce moment que l'idée m'est venue : «C'est moi qui chante, maintenant.» Comme ça, tout simplement. Après tout, je ne me débrouillais pas si mal. Et l'idée de ne plus jamais avoir à me heurter à l'*ego* démesuré des chanteurs ou à l'hypersensibilité des chanteuses me plaisait beaucoup.

Il m'a déposé chez moi avec tous mes nouveaux jouets. Ce n'est qu'au moment de refermer la portière que je lui ai demandé pourquoi il faisait tout ça. «Parce que je sais que j'investis à la bonne place.» Il a ajouté, en regardant l'amplificateur : «Inquiète-toi pas, je vais déduire tout ça de l'argent de tes contrats.» Ah bon.

☆☆☆

Quatorze heures d'entraînement par jour, pendant sept jours, sans sortir de chez moi. Je m'imposais tous les sacrifices : une semaine complète sans baiser. J'enchaînais les gammes d'une main, parfois en tenant un sandwich dans l'autre. Je préparais du café de la gauche en observant la droite, telle une araignée hyperactive, monter et descendre des arpèges à toute allure. J'écoutais les films de fin de soirée en alternant les exercices : gammes jusqu'à la pause commerciale, série d'accords jusqu'à la pause suivante, retour aux gammes. Je m'endormais au son du métronome qui battait la mesure. Le matin, je changeais les piles et je recommençais.

Je sentais mon cœur battre au bout de mes doigts. La corne, disparue depuis longtemps, s'est vite reformée. D'avoir mal me faisait du bien.

Fred avait du flair et des contacts. C'était aussi la première personne que je connaissais qui possédait un téléphone cellulaire. Il s'assurait que tous les musiciens convoqués arrivent à l'heure prévue. « Ça donne le cancer du cerveau, non ? » Il a haussé les épaules, puis a sorti son paquet de cigarettes. « Ça, ça donne le cancer. » Nous avons eu le temps d'en fumer trois avant qu'arrive Manu, les batteurs étant toujours en retard. Il nous a regardés sans un mot, a rapidement installé son attirail : j'aimais déjà sa batterie, réduite au strict nécessaire, façon Ringo Starr. Depuis le matin, nous avions passé en audition des batteurs parfois éliminés rien qu'en voyant les tas de percussions inutiles et le mur de cymbales qu'ils traînaient avec eux. Simplicité, efficacité, voilà ce que je cherchais. Je congédiais aussi les individus prêts à jouer « n'importe quoi pourvu que ça paie » et qui semblaient, à force de polyvalence, n'avoir plus de goûts musicaux particuliers.

Fred m'a résumé ce qu'on savait de Manu : « Celui-là, il sort de Dieu sait où, il paraît qu'il est muet et qu'en spectacle il est capable de s'ouvrir une canette de bière sans arrêter de jouer. » Il portait un costume gris foncé bien coupé, Dubuc peut-être, qui contrastait avec ses cheveux rouges taillés à la mohawk.

Il a attaqué un rythme sans rien nous demander. Du solide, un truc qui donnait tout de suite envie de bouger, vraiment excitant. Je me suis jeté sur ma guitare. Manu réussissait à donner des dizaines de nuances à ses rythmes, anticipait toutes mes réactions, me suivait dans toutes les directions où j'avais envie d'aller. Fred, voyant mon sourire enjoué, a pris son portable pour annuler le reste des auditions. Nous venions de trouver le premier membre du groupe.

J'ai écrit mon premier texte de chanson. Puisque j'avais décidé de chanter, il me fallait bien des paroles aussi. Je me suis dit qu'après tous les textes mal torchés que j'avais lus et entendus, je pouvais m'y risquer sans crainte de faire pire. Je m'étais donné une ligne de conduite : pas de rimes en « é », pas d'histoires d'amour. Ça s'appelait *« shake it mama yeah »* :

> *Tu es une vilaine fille*
> *Je suis un mauvais garçon*
> *Je guide tes mains habiles*
> *Vers la bosse de mon caleçon*

Rendu là, j'étais bloqué. Alors j'ai ajouté «nananana-nana-na», «*come on baby*», «*get down*», en répétant «*shake it mama yeah*» *ad nauseam* pour le refrain. C'était parfait. Je n'avais sans doute pas là de quoi assurer mon immortalité dans le monde de la chanson, mais j'avais le temps de m'améliorer. Et le moindre texte écrit de mes mains était une libération totale : je n'avais plus à m'en remettre au talent trop souvent douteux de quelqu'un d'autre. Et merde, si on comparait Lynda Lemay à Jacques Brel dans ce milieu de cinglés, on allait peut-être me trouver des affinités avec Leonard Cohen.

Je me suis inscrit à des cours de chant. J'apprenais «*Bei mir bist du schœn*», une vieille chanson yiddish, pendant que les deux chats angoras du prof me faisaient éternuer, vautrés sur le piano à me regarder avec mépris.

☆ ☆ ☆

Pour trouver le bon bassiste, je suis allé jusqu'à la ruse : je portais un chandail du groupe Rush lorsque nous les convoquions en audition et j'attendais une réaction. Dès qu'un bassiste m'informait avec enthousiasme que c'était son groupe préféré : merci d'être venu, au suivant. Les bassistes qui aiment Rush vous impressionnent avec leurs prouesses techniques sans jamais écouter la chanson. J'attaquais le refrain – *shake it mama yeah* – et je les voyais, penchés sur leur instrument, perdus dans le monde mystérieux des bassistes, à vouloir coincer des quadruples croches dans tous les espaces possibles. Trop de notes, mon petit Mozart. Merci d'être venu, au suivant.

Celui qui me parle de cycle des quintes, de modulations, de contrepoints, et refuse de simplement faire le pont entre le rythme et la mélodie : merci d'être venu, au suivant.

Puisque la chimie entre le batteur et le bassiste est essentielle, Manu participait aux auditions. Fred et moi devinions aisément ce qu'il pensait, sans qu'il ait à nous dire un mot : il arrêtait de jouer lorsqu'il en avait assez entendu, souvent en plein milieu d'un morceau. Il regardait ailleurs et s'allumait une cigarette. Merci d'être venu, au suivant. Un barbu maigrichon avec une basse à dix cordes s'était fâché : « C'est quoi son estie de problème à c'te gros crisse-là ? » Nous avions dû nous mettre à deux pour l'expulser du local, il s'accrochait aux cadres de portes en hurlant qu'il était celui qu'il nous fallait. Fred pensait appeler le 911 au moment où Manu et moi avions réussi à décoller un à un les doigts de l'hystérique du cadre de porte, à le mettre dehors et à tout barrer. Ce soir-là, nous sommes sortis par une porte qui déclenchait l'alarme, à l'arrière du bâtiment. C'était ça ou affronter à nouveau le barbu fou qui semblait vouloir passer la nuit devant le local, à hurler qu'il était le bon.

Bon pour l'asile, oui.

Laurie, je l'ai rencontrée par hasard. Une vague connaissance, avec qui j'entretenais des rapports principalement sexuels, avait réussi à me traîner voir son frère qui jouait de la guitare dans un groupe de jazz fusion. La seule personne dans le bar qui semblait s'ennuyer autant que moi était la bassiste du groupe. Une mulâtre musclée, cigarette au bec, qui jouait en fixant l'horizon. Avec sa camisole, ses bottes d'armée et son jeans déchiré, elle détonnait parmi cette bande d'étudiants en musique vêtus de chemises en soie trop grandes enfoncées dans leurs pantalons à plis. Chacune de ses notes arrivait au bon endroit au bon moment, donnant un peu de sens à tout ce magma sonore. J'imaginais ce que ça pourrait donner de l'entendre jouer avec conviction, dans un bon groupe. Dans mon groupe.

Au rappel, oui, ils ont eu un rappel – ces gens-là avaient de bons amis dans la salle –, elle embarquait déjà son amplificateur dans le coffre de sa voiture, une Gremlin bleue pourrie des années soixante-dix. Il semble que le groupe s'était habitué à finir les spectacles sans elle. Je me suis approché pour la féliciter et je me suis présenté, en précisant que j'étais musicien aussi. Je parlais tout seul. Elle continuait de ranger son matériel, sans me regarder. Sa nonchalance me décontenançait, et c'est avec peu d'assurance dans la voix que je lui ai mentionné que je cherchais un bassiste pour mon groupe. «Ben, bonne chance.» C'est tout ce qu'elle m'a dit. Sa Gremlin déglinguée m'a laissé là, bredouille, dans un nuage toxique de gaz et de caoutchouc brûlé. Je suis rentré chez moi songeur, obsédé par cette bassiste, oubliant dans le bar la fille avec qui j'étais venu.

☆ ☆ ☆

Dans les jours qui ont suivi, je suis passé voir Daniel chez Scratch avec, comme d'habitude, du café pour tout le monde. J'avais reçu un chèque de droits d'auteur un peu plus généreux que les autres, et j'avais l'intention de dilapider ma fortune dans l'achat de quelques CD. Janet et Layla m'ont accueilli avec de grands sourires et se sont servies dans le café en me faisant des yeux doux. Avec les jolies filles qui y travaillent, Daniel aurait pu gérer un magasin de robes de mariage que je serais venu y traîner aussi souvent. Il est sorti de l'arrière-boutique. Étrangement, il avait l'air occupé.

— Bon, elle arrive ! Pas le temps de te parler, Alex, je passe mademoiselle en entrevue…

Il regardait par-dessus mon épaule. Je me suis retourné. Elle était là, dans la rue. Elle est entrée, Daniel a pris les deux cafés restants et ils ont filé ensemble dans l'arrière-boutique. Elle ne m'a pas accordé un seul regard.

Je me suis assis sur le comptoir avec la ferme intention de ne pas partir avant d'avoir parlé à cette insaisissable bassiste. Layla s'est approchée.

— Essaie-toi pas avec elle, j'suis sûre que c'est une gouine !

Je lui ai rendu son sourire, nous avons partagé son café. J'ai continué à fixer la porte de l'arrière-boutique comme un chien qui attend le retour de son maître. La Gremlin était garée tout près. J'étais décidé à me jeter devant pour éviter que cette bassiste ne m'échappe.

Ils sont sortis, enfin.

Daniel l'a raccompagnée à la porte. Je me suis levé pour les rejoindre au plus vite. Une vieille dame obèse m'a bloqué le passage.

— C'est-tu bon, ce disque-là, monsieur ?

Je lui ai dit que je n'étais pas un employé, en suivant la bassiste du regard. La porte était ouverte, Daniel et elle se serraient la main.

— Réponds-moi, maudit mal élevé!

La vieille folle s'accrochait à la manche de ma chemise. Elle s'est mise à hurler en me fixant dans les yeux : « Mal élevé! Mal élevé! Mal élevé! » Daniel et Layla sont venus me porter secours.

— Lâchez-le, madame Campeau! Il travaille pas ici, lui.

Tout en lui parlant, Layla a fouillé dans le sac à main de la dame, en a sorti un tube de comprimés et lui en a glissé deux dans la bouche. Elle m'a aussitôt lâché pour s'asseoir en tailleur au milieu d'une allée. Je me suis jeté dehors, juste à temps pour voir la carcasse rouillée de la Gremlin tourner au coin de la rue dans un nuage de fumée bleue. Je refusais de croire qu'elle m'échappait une deuxième fois.

Daniel m'a rejoint, avec madame Campeau qui lui collait aux fesses. Il m'a donné une carte où étaient inscrits le nom de la bassiste et son numéro de téléphone. « Elle a dit de l'appeler samedi, elle a pas le temps de passer des auditions avant. Je lui ai dit que je lui donnais la job à condition qu'elle prenne le temps d'écouter ton groupe. » J'ai failli l'embrasser.

Je me suis dépêché d'appeler Fred pour lui demander de mettre à la porte le barbu maigrichon et son horrible basse à douze cordes que nous avions engagé en désespoir de cause. Je lui ai aussi suggéré de changer les serrures du local et de transmettre les coordonnées du bassiste à la police. J'ai remercié madame Campeau qui, sans le savoir, venait de trouver le nom de mon nouveau groupe : Les Mal Élevés.

Appuyé par d'aussi bons musiciens, je me suis vite rendu compte que, comme chanteur, j'étais plutôt mauvais. Nous nous étions donc mis à la recherche d'une chanteuse, sans trouver la personne qu'il nous fallait. Découragé, désabusé, désenchanté, j'ai éprouvé une nouvelle fois l'envie de vendre mes guitares. Puis, un soir du mois d'août, pour lui changer les idées, j'ai traîné Daniel au lancement du deuxième disque de Pouffiasse.

Alléluia.

5.

La scène était immense. La température, idéale. Les conditions étaient réunies pour faire de ce spectacle extérieur un succès. Nous avions le plus gros cachet de notre carrière, deux techniciens de son, un éclairagiste, il y avait même quelqu'un qui attendait un signal pour accorder mes guitares, apporter des bouteilles d'eau ou nous allumer un joint. Laurie fumait, assise sur son amplificateur. Manu buvait une bière, le regard dans le vide. Sandrine se rongeait un ongle. Francis avait quitté le groupe, et ça nous rendait tous un peu nerveux.

Nous avions des ventilateurs silencieux, des moniteurs en quantité suffisante, vraiment, il ne nous manquait plus qu'une chose. J'ai vu le promoteur du festival sortir de sa voiture. En lui désignant le vaste espace devant nous, je lui ai crié :

— Les spectateurs, ils sont où ?

Le terrain qui s'étendait devant nous était désert. Un couple de vieillards grignotait des sandwiches, assis sur des chaises pliantes. Un adolescent, appuyé sur son vélo, nous observait avec un intérêt amusé. Fred était là aussi, debout, les bras en l'air. Il injuriait le promoteur de ce fiasco sans prendre le temps de respirer. Il faut dire que trois personnes dispersées dans un espace pouvant en accueillir cinq mille, ce n'était pas beaucoup. Le promoteur a avoué qu'il avait gaffé : ce festival était un complément des Jeux du Québec, des jeunes sportifs de tous les coins de la province étaient censés se tenir devant nous mais, non, cet idiot avait négocié pour cette soirée-là l'entrée gratuite de ses athlètes – nos spectateurs – à la Ronde.

— On a mal calculé nos affaires, comme.

Il se grattait le cou, embarrassé. Il nous a dit qu'il comprendrait si nous décidions de ne pas jouer, que nous aurions quand même notre cachet. Il n'avait pas fini sa phrase que Manu rangeait déjà ses affaires. Fred a presque arraché les chèques des mains du promoteur, lui a dit d'aller se faire foutre, puis est monté sur la scène pour distribuer la paie. «Je veux vous voir à mon bureau lundi. Tout le monde. Huit heures trente.» Nous l'avons regardé partir sans oser lui demander ce qu'il avait à nous dire.

Les deux vieux se sont levés pour nous applaudir. Manu a jeté ses baguettes dans la foule et y est allé d'une petite courbette pour saluer. Nous n'avons pas eu de rappel.

☆ ☆ ☆

— Merde ! Comment on fait pour plier un string ?

Daniel et Nicolas se sont exécutés, ils en ont plié chacun trois, sans hésitation, le geste leste et l'œil alerte. J'avais là deux professionnels de la vie de couple. J'en ai profité pour mettre mes connaissances à jour : « Vos blondes, ça leur arrive souvent de s'épiler ? » Ils se sont regardés, amusés, complices. J'ai précisé que je ne trouvais pas ça très joli, la salle de bain après une séance d'épilation. Que ça enlevait un peu de magie. Nicolas, en observant mes réactions, m'a confié qu'il y avait des choses bien plus dégueulasses. Curieux, j'attendais la suite.

— As-tu déjà remarqué les drôles de petites taches sur les miroirs de la salle de bain ?
— Oui, ça se peut. C'est quoi ? C'EST QUOI ?
— Du jus de boutons. Elles passent des heures à faire gicler tout ce qu'elles peuvent des pores de leur visage.

J'ai grimacé. Nous avons terminé le rafistolage de mon étagère qui, à force de patience, d'ingéniosité, de sacres, de corde et de ruban collant se tenait bien droite. Nous y avons posé les livres, fiers et confiants. Nous sommes ensuite partis à la recherche de chaises libres sur une terrasse pour boire quelques bières en observant les filles. Daniel découvrait enfin qu'il n'y a pas que sur le Plateau-Mont-Royal qu'elles sont jolies.

— Puis, Nico, c'est comment d'avoir un enfant ?
— Super ! Plus facile que j'imaginais. Ça nous a beaucoup rapprochés, Martine et moi. Et en plus…
— Je demandais juste ça par politesse.
— Va donc chier.
— Hé, c'est la première fois qu'on est tous en couple en même temps !

— Ouin, pis?

— Pis rien. Je disais ça de même.

Une Italienne pulpeuse aux longs cheveux noirs a retenu notre attention. Cuisses nues, camisole légère, la conversation n'a repris qu'après son passage.

— Tu disais quoi déjà?

— Je t'envoyais chier.

— Ah oui.

— Me semble qu'on se voit pas souvent.

— C'est vrai.

— Il y a de quoi de bon au cinéma, ces temps-ci?

— J'sais pas, j'ai jamais le temps d'y aller.

— Moi non plus.

— Moi non plus, au fond.

— C'est fou.

— Ouais.

— Va falloir que j'y aille, on va se baigner chez les parents de Martine.

— Faut que j'y aille aussi.

— Bon ben…

— *Bye.*

— Salut.

— *Ciao.*

Je suis rentré chez moi après quelques courses; je passais la soirée seul et j'avais tout prévu: pizza, bières, trois films loués. J'ai ouvert la télé, un chanteur fraîchement sorti de la puberté venait de gagner un concours et expliquait sa *démarche artistique*: «Oui, ben, c'est ça, j'ai lu le livre de l'auteur-compositeur Stéphane Dompierre, *Écrire des chansons à succès*. C'est plein de super bons trucs là-dedans! Je viens d'écrire ma deuxième toune, je suis vraiment fier de moi, je gagne en maturité…» Une nouvelle star instantanée venait d'apparaître sur le marché. Réchauffer et servir. Un autre morveux qui se prend pour Rimbaud – sans avoir lu Rimbaud –, simplement parce qu'il réussit à aligner deux mots qui riment. À voir ces jeunes chanter main dans la main avec Ginette Reno ou Patrick Norman, on croirait que leurs parents ont autorisé des lobotomies expérimentales sur leurs enfants. La rébellion, ça n'existe plus? *No future, fuck the world*, non? Des jeunes qui écoutent du rock, il y en a encore?

Ils rêvent d'écrire une chanson qui aura du succès, mais aucun ne se soucie d'écrire une bonne chanson. Plus personne ne se souvient à quoi ça ressemble, Dompierre pas plus que les autres, avec ses textes mal torchés, commerciaux et opportunistes, sans vécu et sans substance. Aussi minables que son livre, qui donne l'impression aux illettrés qu'ils pourront écrire des chansons immortelles.

J'ai mis un DVD pour interrompre cette infopublicité déguisée en entrevue. Un film de zombies sanguinolents saurait me calmer les nerfs.

Le soleil se couchait. Sans réfléchir, le héros a allumé une bougie. C'était une grave erreur, la lumière attirerait tous ces sales zombies. «Éteins ça! Éteins la bougie, maudite marde!» Je parlais tout seul, angoissé, complètement plongé dans l'histoire. C'est ce moment que l'étagère de livres, juste derrière moi, a choisi pour s'effondrer, répandant son contenu dans un vacarme spectaculaire. J'ai bondi du divan en poussant un grand cri de terreur et je me suis retourné pour voir la mort se jeter sur moi. J'ai reculé et je me suis écrasé sur la table à café qui s'est brisée en deux. Ce n'est qu'une fois couché par terre que j'ai compris ce qui venait d'arriver. J'ai repris mon souffle. Au moins, mes sphincters avaient tenu le coup.

Sandrine est entrée. Elle m'a présenté son amie Lou, que je n'avais encore jamais rencontrée. Une première impression particulièrement spectaculaire : étendu sur le dos dans une flaque de bière, j'avais l'air d'un évadé psychiatrique en pleine crise de *delirium tremens*. Je voyais dans ses yeux qu'elle n'accepterait de me revoir que si elle avait un Magnum .44 chargé dans son sac et que si nous n'étions jamais seuls tous les deux.

Sandrine lui a offert de rester à coucher ; elle venait d'avoir une crevaison avec son vélo et n'avait pas envie de rentrer à pied. Elle s'est promenée avec insouciance, très légèrement vêtue, de la salle de bain au divan du salon, où nous l'avions installée pour la nuit. Un corps souple et athlétique, formé par son métier de coursière à vélo, se dandinait sous mon nez. Un cul ferme sous une coquette culotte blanche, le renflement du pubis, les seins généreux pointant sous une camisole qui soulignait un mamelon percé d'un anneau, tenter de ne pas admirer son corps était un exercice inutile. Le plus sage était de prendre la fuite avant que mes yeux sèchent de n'avoir pas cligné depuis de longues minutes. J'ai vite conduit Sandrine vers le lit et nous avons baisé avec vigueur, changeant de position toutes les deux minutes, explorant le corps de l'autre sous tous les angles possibles. Deux fois ont suffi pour me calmer les nerfs et passer une nuit tranquille, avec ce goût de cyprine douce-amère à la bouche et ces images de Lou en tête.

J'arrivais du marché Jean-Talon avec des sacs bourrés de fruits et de légumes qui me déchiraient les doigts. J'ai largué mes sacs dans l'entrée en y allant d'un «tabarnak» bien senti, attendant de pouvoir déplier mes doigts douloureux. Quelques oranges ont roulé hors des sacs.

Rien ne me préparait à ce choc. J'entendais grogner et ahaner dans un coin du salon et je savais que ce n'était pas Sandrine, absente pour la journée. Et Sandrine ne fait pas ce genre de bruits. Je me suis approché. J'ai vu. J'étais seul avec cette chose effroyable venue d'un autre monde.

Le beau-père.

J'avais le beau-père à quatre pattes dans mon salon. Il vernissait mon étagère qu'il avait, défiant toute logique, réussi à remettre debout. Il ne faisait pas attention à moi, cigarette à la bouche et craque des fesses à tous vents. J'ai tenté un demi-tour discret pour m'enfuir, mais le plancher a grincé. Il s'est retourné. J'étais cuit.

— Hé, salut! Sandrine m'a laissé les clés, elle m'a dit que t'avais des problèmes avec ton étagère, je t'ai arrangé ça!

Je l'ai remercié sans manifester mon malaise. J'ai ramassé les oranges éparpillées, sans réussir à nous trouver un sujet de conversation, sans avoir le culot de lui demander ce qu'il faisait chez moi. J'ai trouvé une bière en rangeant mes achats dans le frigo. J'en ai tout de suite eu envie. J'en avais besoin. J'avais soif. Cette bière était ce qu'il fallait pour me calmer les nerfs. En la décapsulant, j'ai découvert que le bonhomme avait l'oreille fine: «Pas de verre, merci!»

Je la lui ai donnée. C'était la dernière. Il m'a annoncé qu'il nous avait apporté quatre litres de son vin maison, et son enthousiasme laissait supposer que j'avais beaucoup de chance. J'ai évité de lui refaire la grimace que j'avais faite en voyant les deux bouteilles de Sprite remplies de son poison sur la table. J'ai observé l'étagère, il a suivi mon regard : « Tu vas voir, c'est solide ! » Effectivement, la chose avait l'air de vouloir tenir debout. J'ai souri, je n'avais toujours pas trouvé de sujets de discussion. Il m'a dit qu'il avait réparé le robinet qui gouttait, changé la pomme de douche rongée de calcaire, remplacé les piles du détecteur d'incendie, redressé la porte qui coinçait, recollé dans la cuisine la tuile qui faisait « scouic-couic »… C'est super gentil, oui, eh bien, dites donc, je voudrais pas vous retenir plus longtemps, merci, à bientôt ! Peut-être, avant de partir, pourriez-vous rattacher mon lacet, me moucher le nez, m'extraire la mousse du nombril ?

Il buvait à petites gorgées en admirant son œuvre. Ce n'était pas le Taj Mahal, tout de même, hein, rien de plus qu'une étagère Ikea en bois pâle. Je prenais soin de dégager l'espace vers la sortie, au cas où lui prendrait l'envie de partir. J'avais les bras croisés, le regard ailleurs, mais le beau-père n'était pas un spécialiste du non-verbal. J'ai été plus direct :

— Bon, je voudrais pas vous mettre à la porte, là, mais il faut que je prenne une douche et que je reparte.

Cette fois, il comprenait. Il a posé sa bière, ramassé son vernis, son pinceau, en me disant que je ne pourrais pas prendre ma douche avant le lendemain, qu'il avait changé le *corking* autour du bain pour en remettre du neuf. Il faisait le tour des pièces en ramassant ses outils. Il en avait abandonné dans chacune. Je l'ai aidé un peu, histoire d'accélérer le processus.

J'ai respiré un bon coup, appuyé contre la porte, soulagé, en l'entendant descendre l'escalier. Je me suis jeté sur les deux bouteilles, je les ai dévissées, puis je les ai regardées se vider dans le lavabo. Mon sourire s'est transformé en rictus de panique quand j'ai remarqué le coffre à outils, sur le comptoir. J'ai entendu des bruits de pas dans le corridor.

— Salut salut! J'ai oublié mon…

Silence. Je me suis retourné, il me fixait d'un air triste et déçu. Puis il m'a fait un sourire en coin.

— Il est pas bon, hein?

Inutile de tenter de convaincre votre beau-père que son vin est un grand cru au moment où le «glouk-glouk» des bouteilles de deux litres qui se vident dans le lavabo couvre le son de votre voix. Je lui ai retourné son sourire penaud en haussant les épaules. Il s'est mis à rire, disant qu'il avait remarqué que les gens avaient toujours l'air embarrassés lorsqu'il leur offrait son vin. «Je crois que je vais arrêter ça, qu'est-ce que t'en penses?» Je l'ai assuré qu'il allait faire des heureux. «Vous devriez peut-être essayer de faire votre bière.» Nous avons éclaté de rire.

Je lui ai promis que, s'il cessait de nous donner du vin, je m'achèterais des outils et que j'apprendrais à m'en servir. Ça l'a bien amusé. Il a parié que je ne savais même pas ce qu'il y avait dans la boîte sur le comptoir. «Des tournevis?» Son regard pétillait: il ne rencontrait pas souvent des gens aussi ignorants en matière d'outils. «C'est un *set* de *ratchets*.» Ah bon? J'ignorais tout de même à quoi ça pouvait servir. «Je vais avoir besoin d'un prof!» Je n'arrivais pas à croire qu'une telle phrase m'était sortie de la bouche. Il m'a dit qu'il avait toute sa journée. «Je peux sûrement annuler ce que j'avais.» Ce qui fut assez simple, puisqu'en vérité je n'avais rien à l'horaire. «Je vais aller nous chercher de la bière au dépanneur.» Je lui ai indiqué le lavabo: «À moins que vous vouliez un petit verre de vin?»

Quand Sandrine est rentrée, elle est passée de l'étonnement amusé à son petit air sévère:

— Coudonc, êtes-vous paquetés? Ça sent le vin à plein nez quand on rentre ici !

Nous avons levé nos bières dans sa direction. Mon beau-père avait passé deux heures à me parler de Sandrine lorsqu'elle était petite. Je ne savais toujours pas me servir d'une clé anglaise. Il s'est levé, voyant l'heure, nous a dit qu'il devait partir, m'a serré la main, a embrassé sa fille sur les joues et a filé en oubliant son « *set* de *ratchets* ».

Elle m'a questionné au sujet des bouteilles vides, espérant que son père n'allait pas conduire sa voiture en état d'ébriété. J'ai titubé, me cognant sur les meubles, retenant d'une main un hypothétique saignement de nez, en disant d'une voix pâteuse :

— C'est moi qui ai tout bu ! Il est bon en maudit, le vin de ton père !

Elle n'a rien cru de ma mise en scène. Ce n'est qu'à ce moment que je l'ai remarqué : depuis son arrivée, elle n'avait pas l'air d'avoir envie de blaguer. Elle a allumé le téléviseur et commencé à changer de chaîne sans s'intéresser à la moindre émission. J'en ai conclu que le mieux serait d'aller me faire voir dans une autre pièce, sans savoir laquelle, ni pour aller y faire quoi. Je me dirigeais vers la chambre quand elle m'a dit, en éteignant le téléviseur :

— J'ai rencontré la voisine d'en dessous. Elle vient de me raconter ce qui est arrivé à l'ancien locataire.

Oups.

☆ ☆ ☆

Il n'était que huit heures vingt mais nous étions déjà tous dans le bureau de Fred, affairés autour de la machine à café. Nous nous sommes assis partout où il y avait de la place : sur le divan, un coin de table, par terre, comptant sur l'effet de la caféine pour nous réveiller un peu. Fred nous a félicités de cette rare ponctualité puis, debout devant nous, a brandi un tas de feuilles avec un tas de chiffres dessus. « Le montant ici, c'est ce que ça me coûte chaque mois pour mon bureau et toutes mes dépenses. » Il nous a montré une autre feuille. « Le montant ici, c'est ce que les Mal Élevés et Kitchen m'ont rapporté en commissions depuis que je connais Alex. » Ce montant équivalait à six mois de son loyer. Après dix ans à travailler ensemble. C'était gênant. « À votre avis, est-ce que j'ai beaucoup d'artistes aussi peu rentables ? » Nous connaissions tous la réponse, mais personne ne voulait faire le finfinaud en répondant avant lui. « Aucun. Je les ai tous laissés tomber. J'étais tanné de crever de faim. Le seul groupe déficitaire qui me reste, depuis que vous avez dissous les Mal Élevés – merci mon Dieu –, c'est Kitchen. » Nous étions silencieux comme des enfants devant un film de Walt Disney. « J'ai harcelé presque toutes les compagnies de disques. Sauf une. J'ai pas appelé Lombard, juste parce que tout le monde ici a peur de faire la pute, de vendre son âme ou je sais pas quoi. » Le silence entre ses phrases nous écrasait chaque fois un peu plus sur nos sièges. « Alors là, il vous reste deux solutions. Mais vous décidez maintenant. » J'avais les mains moites, et l'accélération de mes pulsations cardiaques n'était pas due au café. « Ou bien vous cherchez un nouvel imprésario, ou bien j'appelle Lombard. Dites-vous seulement une chose : si le bonhomme fait du bacon sur notre dos, on va en faire aussi. »

La décision a été rapide, unanime, déchirante aussi. À l'heure où nous faisions ce pas vers l'avant, des plus jeunes et moins talentueux que nous avaient déjà des compilations Grands succès sur les tablettes des disquaires. Sandrine avait envie de pleurer, de rage plus que de tristesse. Mais, au-delà des plaintes pour harcèlement sexuel, de sa personnalité infecte, de l'abus de pouvoir, de la concurrence déloyale et de ses relations louches, Lombard était le producteur le plus efficace. Même, ses défauts y étaient peut-être pour quelque chose. J'ai fait signe à Fred de l'appeler. Nous étions vaincus.

— Lombard, c'est Campiglia. J'aimerais qu'on se rencontre demain.

Je me disais qu'il était impensable qu'il ait un rendez-vous aussi vite avec Lombard. Mais Fred était plein de ressources.

— Pas libre, pas libre… J'ai pas le temps pour tes «pas libre», tu comprends? Écoute… Si tu te libères, je te dis qui a démoli ta BMW.

Ce traître a eu son rendez-vous pour le lendemain matin.

☆☆☆

Le 29 août 2005, Catherine A., en route vers les auditions de Star Académie, reprend conscience sur le siège passager de sa voiture. Elle ne sent plus ses jambes. Elle essuie sa bouche ensanglantée, se recoiffe et, devant le miroir du pare-soleil, tente un douloureux sourire. « J'espère que je vais quand même pouvoir participer », se dit-elle, juste avant l'explosion du réservoir d'essence.

6.

−**M**a guitare, elle est où ?

Le preneur de son m'a regardé en haussant les épaules, puis s'est remis à faire des bulles avec sa gomme. J'ai tapoté mon micro pour m'assurer qu'on m'entende bien de l'autre côté de la vitre insonorisée.

— Eille, le taouin, elle est où, ma piste de guitare ?

Il a reculé la bande et l'a fait jouer du début. Il plaquait mes accords sur une guitare imaginaire, comme s'il était en spectacle devant des milliers de personnes, en sortant la langue, les yeux clos. Je me suis demandé si la vitre était à l'épreuve des balles. *Échangerais guitare Fender contre carabine de chasse.*

— Niaise-moi pas ! Elle est tellement loin dans le *mix* qu'on l'entend même plus ! Et c'est quoi, l'autre guitare, là ?

Des arpèges? J'ai pas joué d'arpèges, à ma connaissance. Ils sont apparus comment, les arpèges?

Sandrine m'a rejoint dans la salle d'enregistrement alors que je me débarrassais de mes écouteurs. J'ai posé ma guitare et je me suis assis sur mon ampli. Elle avait les explications: « C'est Lombard, il est venu écouter les bandes hier. Il trouvait que ça sonnait moins radiophonique que prévu... Pour lui faire plaisir, l'arrangeur a improvisé quelques notes. C'est pas si pire que ça! »

J'ai hurlé assez fort pour que le technicien, l'arrangeur et tout le quartier m'entendent: « C'est pas du Isabelle Boulay qu'on joue! J'suis pas venu ici pour entendre Francis *fucking* Cabrel jouer sur mes tounes! » J'ai balancé ma guitare dans mon étui; ma présence dans ce studio ne semblait plus nécessaire.

L'arrangeur, qui était là pour veiller à ce que le produit final ressemble à ce que le groupe avait en tête, ne comprenait pas ce que nous voulions. Nous aurions dû nous méfier, aussi; depuis des semaines que nous étions en studio, je le voyais arriver chaque jour avec un chandail aux couleurs de groupes ou d'artistes finis: Journey, Sting, Phil Collins, il y avait même une affiche de Marie Carmen dans l'entrée.

J'ai eu envie d'une cigarette. Envie aussi de sacrer le camp et de ne jamais revenir. Le technicien de son avait son téléphone portable à la main, les ennuis commençaient. Je l'ai rejoint de son côté, je lui ai arraché l'appareil des mains et j'ai raccroché. Il n'a pas apprécié mon intervention: « C'est quoi ton problème, l'insignifiant? » Il a refusé de me dire qui il avait tenté d'appeler. J'ai appuyé sur « recomposition automatique ». Il s'est énervé un peu, alors j'ai filé dans la salle d'attente et j'ai bloqué la porte du studio avec une chaise. J'avais la secrétaire de Didier Lombard au téléphone. Aussi bien en profiter. Elle a tenté le coup du « Désolé, il n'est pas libre pour le moment. Qui le demande?» Je me suis fait passer pour Luc Plamondon, le bonhomme est soudainement devenu plus disponible.

— Lombard.

— Salut, c'est Alex. Je te suggère de relire notre contrat parce que je passe pas mes journées en studio pour écouter quelqu'un jouer à ma place!

— Il faudrait pas s'exciter pour deux ou trois notes que t'as pas jouées sur l'album, c'est pas…

— Écoute-moi bien: je retourne chez moi et je reviens en studio quand les guitares de tes petits amis auront disparu de nos enregistrements, c'est clair?

J'ai raccroché sans attendre la réponse. Sandrine, étonnée, en avait de grands yeux ronds. Je lui ai souri: «Je crois que ma carrière est finie, là, non?» Ça cognait de plus en plus fort derrière la porte. Je me suis allumé une cigarette, juste sous l'affiche «interdit de fumer». J'en ai offert une à Sandrine. À ce moment-là, je n'ai pas vraiment prêté attention à sa réponse. Je l'ai embrassée et je suis parti me faire voir ailleurs. Ce n'est qu'une fois bien perdu, dans les rues de ce quartier que je ne connaissais pas, que j'ai compris ce que sa réponse avait d'effrayant. «Non merci, j'ai arrêté de fumer.» Danger.

Le téléphone sonnait depuis le matin.

— Non mais, c'est quoi ces grosses fesses-là? J'ai engraissé depuis que je te connais! T'as vu ça?

Nous étions passés au travers d'une première crise, déclenchée lorsque Sandrine avait découvert la vérité sur l'ancien locataire. Après de nombreuses discussions sur le sujet, l'importance d'être honnête à tout moment, la fragilité de la confiance, tout ça, nous avions fini par nous réconcilier. Il fallait maintenant que je me sente responsable d'un hypothétique surplus de poids. « C'est le miroir qui te grossit. » Gaffe. Elle n'a retenu que « grossit ». Elle a quitté la chambre en pleurant, je l'ai entendue bardasser des trucs dans la cuisine.

Syndrome prémenstruel, qu'ils appellent ça. Mes recherches sur Internet m'avaient appris qu'une femme sur quatre est fortement touchée par le phénomène. Durée : entre trois et sept jours par mois. Les filles de passage me faisaient la grâce de refuser mes invitations à sortir dans ces moments critiques. Mais, lorsqu'on partage le même appartement, il n'y a nulle part où se cacher. Et puis, « J'ai arrêté de fumer » vient décupler le syndrome, le faisant passer de « simples vents forts » à « ouragans – barricadez portes et fenêtres ». En clair, j'habitais maintenant avec un fauve mal nourri. Elle est revenue :

— Si tu me dis que je suis de même à cause de mes règles, je te pète la gueule !

Déjà repartie. Bruits étranges dans la salle de bain. Depuis quand les fauves mal nourris lisent-ils dans les pensées ?

J'ai consulté la liste sur l'afficheur pour voir qui avait appelé : Lombard, Fred, Laurie, Lombard, Lombard, mon frère, Fred, Lombard, nom inconnu, Fred, Fred. Aucun n'avait laissé de message. Trois jours que nous n'étions pas sortis de la maison ; téléphones portables éteints, nous évitions de passer près des fenêtres, ignorant les gens qui criaient nos noms sur le trottoir et la sonnerie insistante de la porte d'entrée. La réserve de café s'épuisait.

Sandrine est revenue, cette fois mes réflexes étaient bons : j'ai bondi sur mes jambes, j'ai empoigné mes clés, mon portefeuille, ma montre, j'ai ramassé une chemise au hasard.

— Tu sors ?

— Oui. Un truc à régler.

— Tu peux m'acheter des serviettes thong maxi flux moyen avec des ailes ?

Je l'ai regardée comme un chien qui ne comprend pas l'ordre donné. Elle m'a montré le sac pour m'aider.

— Et aussi...

— Oui ?

— Un gros sac de réglisse noire.

J'ai souri. En fait, je serrais les dents, sachant que n'importe quelle remarque pourrait être retenue contre moi. Voyez comme l'homme, derrière ses apparences de brute ignorante, est capable d'apprendre. Je suis sorti en clignant des yeux, surpris par le soleil, et j'ai respiré un grand coup. Je savais enfin ce que je devais faire. J'ai cherché un taxi.

L'ascenseur s'ouvre devant le bureau de la secrétaire. Le bonhomme loue un étage complet de l'immeuble. Une vingtaine d'employés, la plupart debout, paperasses à la main, courant dans toutes les directions, cellulaire à l'oreille, débordés, à quelques minutes d'un *burn-out*. Je me suis approché de la réception et j'ai envoyé mon sourire le plus charmant à la fausse blonde à lunettes aux lèvres pincées. Je lui ai expliqué que je venais voir Lombard et que, malgré que je n'aie pas pris rendez-vous, il avait sûrement envie de me voir. J'ai observé son bureau pendant qu'elle communiquait avec son patron. Une lampe a retenu mon attention; elle n'allait pas du tout avec le décor ultramoderne en verre translucide et en aluminium brossé. Une lampe en forme de chimpanzé.

— Il vous attend.
— Elle est belle! C'est rare, ces lampes-là!
— Merci. Je l'ai trouvée dans la rue, le premier juillet. Il vous attend.

Il m'attendait, oui. Les mains jointes posées sur son bureau, un sourire ironique au visage. Un sourire victorieux, dirais-je même. Le Botox, ai-je pensé, ce n'est peut-être que le Botox qui fausse les données. Je me suis calé dans un fauteuil en cuir brun et j'ai attendu qu'il parle. Il a ouvert un tiroir, en a sorti une chemise, l'a posée sur le bureau et l'a poussée jusqu'à moi. «La France, ça vous intéresse?» Il a tapoté le dossier sous mon nez. «Je connais des gens là-bas qui seraient intéressés par votre album.» Il avait toute mon attention; un succès moyen en France est l'équivalent d'un succès phénoménal ici, et vous assure une couverture de presse pour les dix années suivantes. Et les voyages. Jouer à Paris, La Rochelle, Avignon… le rêve! «Ces gens-là, si je leur dis que dans six mois on dépose un album à leur goût dans leurs bureaux, ils sont prêts dans une semaine à lancer votre campagne de presse. À créer le mythe. Des articles dans les journaux, des affiches partout, des extraits dans toutes les radios. Dans six mois, vous débarquez en France en pensant que vous êtes des inconnus et vous voyez des hystériques hurler vos noms à la sortie de l'avion. Au niveau où vous êtes rendus, l'important ce n'est plus le talent, c'est la popularité. C'est ça qui fait vendre des disques.» J'ai croisé les bras en lâchant un long soupir.

— Et la mauvaise nouvelle, c'est quoi?

Il a de nouveau tapoté le dossier devant moi. À l'intérieur, il n'y avait qu'une feuille avec quelques notes manuscrites:

Modifier textes des chansons 1 – 7 – 8 – 10.
Éliminer 3 et 11.
Guitares plus *soft*.
Batterie électronique sur 1 – 2 – 5 – 7 – 9.

Rien d'impossible. J'ai lu et relu «guitares plus *soft*.» Il semblait bien que mon passé de guitariste punk s'arrêtait là. Je lui ai expliqué qu'ajouter de la batterie électronique signifiait réenregistrer les chansons depuis le début. Il a haussé les épaules; l'équipe française était prête à assumer les coûts supplémentaires. «L'album va coûter plus cher, mais vous allez en vendre dix fois plus. Peut-être cent fois plus.» J'ai relu les modifications demandées, puis j'ai regardé Lombard. «C'est tout?» Il m'a fait signe de regarder au verso de la feuille. Une seule note. Soulignée. Je l'ai fixée une bonne minute. Rien qu'une petite recommandation, mais la chance d'être enfin reconnu comme auteur-compositeur, de choisir les offres plutôt qu'accepter n'importe quel petit contrat alimentaire. J'ai déclaré à Lombard que je retournerais en studio finir l'album, mais à une condition. Il a éclaté d'un rire énorme, démoniaque. Il se tenait les joues pour éviter de ruiner ses chirurgies.

— Grand tata! C'est pas toi qui fixes les règles ici! Mais dis toujours!
— La guitare, celle que l'arrangeur a ajoutée…

— Pas question de l'enlever.

— S'il faut en mettre, on va en mettre. Je veux juste les jouer moi-même. J'ai besoin d'aide de personne pour jouer de la guitare.

Il m'a donné la chemise en me faisant un signe de la main pour me guider vers la porte. «J'appelle tout de suite au studio. Condition acceptée. Il est temps de retourner travailler, Alex.»

L'ascenseur m'a lentement ramené au niveau du sol. Je me suis imaginé une foule qui m'attendait à la sortie, que je devais bousculer pour me frayer un chemin jusqu'à la rue. On me traitait de sale pute, de vendu, de trou de cul. Pour chasser cette image, j'ai tenté d'imaginer des admirateurs nous attendant à l'aéroport Charles-de-Gaulle. Je n'y arrivais pas. Pas encore. J'étais une sale pute. La France nous attendait. J'étais un vendu. J'allais pouvoir vivre de mes chansons. J'étais un trou de cul. Fini les salaires minables, les spectacles dans des salles vides. Fini aussi l'impression d'avoir le contrôle sur le produit. J'ai appelé Fred.

— Merde! T'étais où depuis trois jours? Lombard est en train de virer fou!

Je l'ai mis au courant de la situation. Il avait peine à croire que j'aie accepté toutes les conditions sans broncher. Surtout la dernière. Surtout sans en parler à la principale intéressée.

☆ ☆ ☆

J'avais réussi à me tromper. «Serviettes thong maxi flux moyen avec des ailes, c'était facile à retenir, maudite marde!» Elle a lancé le paquet sur un mur. Le *plouuuf* discret produit par la chose n'était sans doute pas l'effet escompté. Elle a sorti la réglisse avant que j'aie le temps de l'avertir que je n'en avais pas trouvé de la noire et que je lui en rapportais de la rouge. Elle m'a regardé avec des yeux fous. J'aurais voulu parler des quatre épiceries où j'étais allé sans trouver l'objet de son désir, mais rien ne sortait de ma bouche. Gorge sèche, langue râpeuse. Je me suis précipité dans le corridor à la recherche d'un abri, j'ai choisi la seule pièce qui se verrouille de l'intérieur. Ça m'a sans doute sauvé la vie.

La salle de bain, dernier refuge de l'homme en couple. Je me suis recroquevillé dans le bain, tandis que la bête frappait la porte et hurlait. J'ai pensé à Jack Nicholson et à sa hache, dans cet hôtel désert. REDRUM.

J'aurais dû lui acheter des cigarettes.

Je me suis réveillé, sans savoir pourquoi, au milieu d'un rêve érotique. J'avais chaud. J'ai retiré mon boxer, trempé de sueur, inconfortable à cause d'une érection qui ne pouvait pas prendre toute son ampleur. Le cœur me battait dans le sexe, prêt à exploser. Sandrine dormait, un oreiller glissé entre les jambes, simplement vêtue d'une culotte. Elle gémissait en rêvant et disait des choses que je n'arrivais pas à comprendre.

Je me suis levé pour me changer les idées, pour laisser les souvenirs fragmentés de ce rêve se disperser avant de me rendormir. J'ai regardé par la fenêtre du salon pour voir si l'Asiatique d'en face était chez elle, une habitude que j'avais récemment développée en remarquant que ses rideaux arrivaient à mi-fenêtre et qu'elle aimait danser nue devant les portes en miroir de sa garde-robe. Du deuxième étage, on voyait tout. Il y avait de la lumière crue, des ombres s'agitaient. Je me suis dissimulé derrière le rideau, déjà mon érection reprenait de sa vigueur. Elle arrivait de la salle de bain, nue, mouillée. Elle s'est accroupie sur le lit, la tête dans l'oreiller, les fesses en l'air. J'avais sans doute manqué les préliminaires, puisqu'un grand musclé bandé l'a pénétrée d'un coup. Je me suis branlé en suivant leur rythme. Ma charmante voisine avait maintenant la tête entre les jambes d'une jeune blonde, sortie de nulle part. J'ai joui, plus ou moins dans ma main libre, puis j'ai cherché la boîte de papiers mouchoirs la plus proche. Je suis retourné dormir, les jambes molles, beaucoup moins tendu.

☆ ☆ ☆

— J'ai fait un drôle de rêve cette nuit!
— Ah bon?
— J'ai rêvé que tu te masturbais en regardant l'Asiatique d'en face…

J'ai rougi. Je me suis versé un troisième bol de Frosty Sugar Marshmallow Cocoa Power Snaps en évitant son regard.

— Je venais te rejoindre, on la regardait ensemble danser à poil devant son grand miroir. Elle finissait par nous voir et nous invitait à la rejoindre.

— Et?

Elle ne se souvenait plus du reste. Elle était donc au courant des activités dans l'appartement d'en face et, à ce que je comprenais, elle y prêtait plus attention depuis que la voisine ramenait chez elle le grand musclé bandé. J'ai failli demander si elle avait remarqué que la fréquence de l'activité sexuelle en face allait en augmentant alors qu'ici… J'ai préféré me taire. J'ai plutôt raconté ce que j'avais vu pendant la nuit, surtout pour vérifier sa réaction, savoir si elle m'avait pris en flagrant délit. Elle n'a rien laissé paraître. J'ai repensé à la voisine, à son mont de Vénus touffu, à ses petits seins coquins, à son cul dansant qu'elle exhibait avec candeur devant son grand miroir. Rien qu'à l'imaginer, j'avais la queue qui pointait.

— Bon, je m'en vais au gym.

— Au quoi?

Au gym. C'est ce que Fred lui avait conseillé. Il disait qu'une chanteuse doit être en forme pour donner son plein rendement en spectacle. Il n'y a que dans le rôle de l'imprésario qu'un homme peut se permettre de telles affirmations; j'aurais dit la même chose qu'elle m'aurait boudé pendant une semaine, sous prétexte que je la trouvais grosse. C'est aussi Fred qui lui avait conseillé d'arrêter de fumer. J'avais envie d'inviter celui-ci à passer une semaine chez nous, qu'il puisse voir ce que ses suggestions stupides avaient comme impact sur ma santé.

Elle m'a embrassé, son sac de sport à la main. Je l'ai entendue descendre, puis remonter l'escalier. Elle a ouvert la porte et m'a fait son air piteux.

— T'aurais pas envie de venir avec moi?

J'ai souri et je lui ai dit qu'on se rejoindrait à midi au studio d'enregistrement. Elle a grimacé puis, avec le sourire, m'a traité de maudit gros paresseux avant de redescendre. Dans mon agenda, j'ai noté «spm: fin». Je me suis permis un petit soupir de soulagement, puis j'ai mangé mes céréales ramollies.

— La chanson pour Marie-Jeanne, ça avance?

— Oui, oui, ça va super bien! Mais bon... Je prends mon temps. Tu sais comment c'est. Je veux pas lui donner n'importe quoi.

Je me tripotais un lobe d'oreille en regardant ailleurs.

— T'as rien composé encore, hein?

Si je ne trouvais pas bientôt une idée géniale, j'allais devoir lui refiler une vieille chanson inutilisée, plutôt mauvaise, avec un texte incohérent, qui serait refusée de toute façon. Le problème est que chaque fois que j'y travaillais et que je trouvais ça bon, je finissais par offrir le produit final à Sandrine. J'ai tenté de rassurer Fred, en bredouillant quelques excuses, et je nous ai offert des espressos de la machine distributrice, un monstre qui prenait tout l'espace de la salle d'attente du studio. Sandrine reprenait la même chanson depuis le matin, c'était la mélodie la plus difficile à chanter de tout l'album, et nous avions commis l'erreur de la garder pour la fin. Elle est venue nous rejoindre en hurlant. «J'pas capable de la chanter, câlisse de câlisse!» Elle cherchait un moyen de se défouler, j'ai fait un geste vers la machine à café. Coups de poing, coups de pied, cris, tremblements de rage, la machine, elle, restait inébranlable. Fred et moi sirotions nos cafés, bien assis devant le spectacle. Elle a repris son souffle en se massant les jointures.

— Bon, j'y retourne.

Elle est repartie avec un grand sourire. Il ne restait plus que cette mélodie à enregistrer pour passer au mixage. Notre premier album existerait enfin. Conforme aux standards européens, incluant quelques succès potentiels, pas du tout le son que nous avions envisagé au départ. Kitchen, de groupe rock était devenu groupe pop-rock, pour ensuite glisser vers le pop. Et ça ne nous irritait même plus. Nous étions tous fatigués, écœurés d'entendre les onze mêmes chansons en boucle toute la journée depuis des semaines, nous rêvions surtout d'en finir.

Fred et moi n'avions pas encore parlé à Sandrine, Laurie et Manu de *la dernière condition*. Depuis le départ de Francis – qui refusait de revenir dans le groupe, même sachant que nous avions un contrat de disques –, j'hésitais avant d'annoncer les mauvaises nouvelles. Fred a poussé les livres et les revues posés sur la table basse pour s'y allonger les jambes. Il a croisé les bras en fermant les yeux. «Tu me réveilles quand elle a fini, O.K.?» Quelques livres sont tombés par terre. Il y avait *Écrire des chansons à succès*, rédigé par cet imposteur qui n'avait écrit que des chansons mineures pour des artistes mineurs. Un long mensonge pour faire croire à des débutants qu'il suffit de suivre une formule, de mélanger quelques ingrédients et hop, voilà une chanson. Discipline, patience, réflexion, peaufinage, maîtrise de son art, rien de tout ça ne semblait plus exister.

Je me suis penché pour le ramasser. Simple curiosité. Ce livre, c'est du caca, certes, mais peut-être y avait-il là-dedans de quoi m'aider avec la chanson pour Marie-Jeanne… une idée, une piste, juste un petit indice? Je me suis assuré que Fred ne me regardait pas – il dormait déjà d'un sommeil réparateur – et j'ai ouvert le bouquin. Une centaine de pages, en gros caractères, avec de grands espaces vides, des tableaux récapitulatifs, des introductions et des résumés à chaque chapitre, tout pour étirer le contenu informatif qui tiendrait sans doute au complet sur une carte d'anniversaire. J'ai lu une page au hasard.

> *Deux sujets possibles: l'amour ou rien. Tout ce qui se situe entre les deux vous vaudra la réputation d'être un chanteur à textes, ce que vous ne voulez d'aucune façon. Évitez les causes sociales, la polémique et le raisonnement trop poussé. Si vous lisez ce livre, c'est que vous souhaitez avoir du succès. Ne mélangez pas l'art et le commerce, laissez l'art à ceux qui aiment crever de faim.*

Quelle horreur! J'ai posé le livre par terre et je l'ai envoyé glisser jusque sous la machine à café. Pour le bien de l'humanité.

Lombard s'impliquait. Il prenait part au mixage, donnait son avis sur tout: «Trop de guitares ici, monte la voix, encore,

encore un peu, encore, enlève le clavier dans les couplets, la tambourine, il faut l'entendre…»

Même s'il n'était pas écouté, j'y allais parfois d'un commentaire. Le technicien de son, l'arrangeur et Lombard tournaient la tête dans ma direction, me laissaient terminer ma phrase et retournaient à leurs occupations. Tout ce qui était rock avait maintenant disparu. Chansons trop éloignées du standard radio : éliminées. Chansons trop longues : écourtées. Textes trop poétiques : modifiés. Mots trop littéraires : remplacés. Nous venions d'être remixés, malaxés, édentés, javellisés.

Sandrine et moi sommes retournés dans la salle d'attente. Manu avait une main coincée dans la machine à café et tentait de se dépêtrer à l'aide de ses baguettes. Laurie, affalée sur le divan, lui lançait des boulettes de papier sur la tête en riant. Elle m'a montré le bouquin – *Écrire des chansons à succès* – qu'elle avait trouvé sous la machine. Elle a lu une page avant de l'arracher, de la chiffonner et de la lancer à la tête de Manu :

Une chanson à succès n'est rien de plus qu'une chanson pour enfants avec quelques artifices musicaux. L'auditeur ne décortiquera pas la moindre phrase ; il sera à l'épicerie, attendra chez le dentiste, fera la vaisselle ou le ménage. Son attention étant rarement portée sur le texte, vous pouvez aisément le prendre pour un simple d'esprit. Ne vous préoccupez pas des couplets, mais offrez-lui un refrain facile à retenir. Souvenez-vous que le cerveau humain retient les ritournelles simplistes bien avant les concepts abstraits, les principes de philosophie et l'argumentation critique.

Lombard est venu nous faire son compte-rendu au moment où Manu se dégageait la main, tombait sur le dos et renversait une plante au passage. «C'est pratiquement terminé. Demain, on va écouter tout ça avec Fred. Je suis vraiment content de vous, tout le monde. Vous avez fait du beau travail.» Et nous qui avions l'impression de n'avoir rien fait, plutôt de nous être laissé faire, ça nous a presque rassurés. Il a sorti son agenda, l'a consulté: «Sandrine, la séance photo pour la pochette, on fait ça mardi de la semaine prochaine.»

Silence total. Confusion. Les regards passaient de Lombard à moi, de moi à Lombard. Il a vite compris.

— Alex? T'étais censé leur dire, non?

J'étais censé leur dire, oui. J'attendais le bon moment pour annoncer *la dernière condition*, mais il n'est jamais venu. Lombard a soupiré: «Bon, je vais vous le dire, moi. L'album, on le fait pas sous le nom d'un groupe. Un groupe, ça se vend mal. J'ai toujours été clair avec ça. On y va sous le nom de Sandrine. Vous serez pas sur les photos, mais vous allez faire plus d'argent.»

Regards outrés, brillants de rage, tous lancés dans ma direction. L'ambiance était si toxique que j'osais à peine respirer. J'ai pensé: «Ouais. Bon. C'est vrai que j'aurais pu au moins en parler à Sandrine», quelques secondes avant qu'elle se jette sur moi, les deux mains sur ma gorge. Je me suis écroulé sur le dos, coincé entre ses cuisses. J'ai entendu des cris, puis j'ai vu Laurie tenter de me venir en aide. C'est à ce moment que je me suis évanoui.

☆ ☆ ☆

Je lisais un *Lancio Color* en attendant que le grille-pain recrache mon bagel. Il est sorti tout calciné. Je me suis rabattu sur la boîte de céréales, devant une Sandrine qui attendait que son fer à repasser chauffe, le regard ailleurs, loin d'ici, loin de nous deux. J'évitais depuis quelques jours de me servir de mon sens de l'humour, de ma bonne humeur, j'évitais d'être moi. Je pesais le pour et le contre, je faisais des analyses poussées des retombées possibles de chacun de mes gestes, je tournais et retournais ma langue dans ma bouche avant de prononcer la moindre interjection ; le simple fait d'être là, assis dans mon appartement à tendre la main vers les céréales, pouvait m'attirer des ennuis.

La mygale repassait une de ses blouses tout près de moi. Je tentais de me concentrer sur mon photoroman, une secrétaire permanentée sortait un revolver de son sac à main, le braquait sous le nez de son patron et j'en ignorais la raison. Sandrine crispait les lèvres, ses gestes étaient saccadés, ça m'inquiétait. Je terminais mon déjeuner quand elle a explosé : «Arrête de cogner ta maudite cuillère sur ton ostie de bol, tabarnak!» J'ai plissé les yeux alors que mes os de l'oreille interne se transformaient en poussière. Je me suis levé et j'ai reculé en lui faisant face : la main accusatrice de Sandrine tenait un fer à repasser brûlant. Ma dernière bouchée de céréales ne passait pas.

Le visage de Sandrine s'est transformé. Et pas pour le mieux. Une force destructrice s'agitait sous son regard vitreux. Une pulsion démente, animale, semblait vouloir prendre possession de son corps et l'animer tel un pantin destructeur. «L'animer tel un pantin destructeur» : c'est toujours dans ces moments impensables que m'arrivent les plus belles figures de style pour mes chansons. Tout de même, j'ai décidé d'attendre un peu avant de prendre des notes. J'étais coincé entre le comptoir, la table et la planche à repasser. J'ai levé les bras, toujours sous la menace de l'arme, et je lui ai fait comprendre que j'avais terminé en avalant ma bouchée. Calmée, elle a poursuivi son repassage comme si rien ne s'était passé. Pourquoi fallait-il vivre ici selon ses humeurs à elle, être joyeux uniquement quand elle était d'humeur joyeuse, et se sentir mal d'exister quand madame voulait la paix? N'étais-je pas ici chez moi? Alors, plutôt que de ramper jusqu'à la sortie et d'aller me faire voir ailleurs, je me suis fâché: «T'en as beaucoup, des affaires de même, à me reprocher?»

Elle en avait, oui. Beaucoup. Qu'est-ce que je m'étais imaginé? Elle a fait défiler sa liste en hurlant, sans hésiter, comme si elle avait tout appris par cœur et attendait seulement que je pose la question: «Tu cuisines mal tu laisses traîner tes poils dans le lavabo quand tu te rases tu remets jamais de sac quand tu vides les poubelles t'oublies toujours de transférer le linge de la laveuse à la sécheuse tu ranges l'épicerie n'importe comment tu essuies la vaisselle le plancher et ta bouche avec la même serviette tu remplis jamais la salière et la poivrière tu pisses sur le siège des toilettes t'arroses jamais les plantes.»

Nous avons des plantes?

Puisque nous formions un couple, je tenais à faire ma part: «Tu te penses meilleure, toi? Tu mets de la cire partout quand tu t'épiles, tu laisses du jus de boutons sur les miroirs, tu déplies les serviettes que j'ai rangées pour les replier à ta façon, tu nous mets tout le temps en retard parce que tu changes de vêtements cinq minutes avant nos rendez-vous, t'es maigre comme un pic mais t'arrêtes pas de penser que t'es grosse.»

J'ai repris mon souffle, elle en a profité pour prendre la relève, cette fois en pleurant: «T'arrêtes pas de me cacher des choses, tu décides que l'album va porter mon nom sans m'en parler, j'avais pas envie, moi, que ça repose rien que sur mes épaules! Je pensais qu'on était un groupe, qu'on se serrait les coudes, mais tu t'es laissé manipuler sans avoir le courage d'assumer tes décisions, t'es un maudit peureux! T'as pas de couilles! T'as laissé tomber tous tes principes juste pour faire un peu plus d'argent! T'es vraiment pas comme je pensais...»

Le téléphone a sonné. J'ai répondu sans regarder qui appelait, content de pouvoir freiner Sandrine dans son élan. J'ai lancé un «oui» sec et tranchant à l'interlocuteur.

— Salut. C'est ton père. Tu te souviens-tu de moi?

Incapable de parler, incapable de raccrocher. J'étais figé par la surprise.

— Tu m'écoutes? Ton grand-père vient de mourir. Il va être exposé samedi.

Il a raccroché après m'avoir donné tous les détails. Je me suis assis, le téléphone encore à la main. Sandrine, inquiète, attendait que je parle en me questionnant du regard.

— Tu vas être contente, toi qui rêvais de rencontrer ma famille.

Au cours de l'été 1932, quelques jours après s'être fait dire qu'il ne sait pas jouer de son instrument, Robert Johnson, endormi à la croisée de deux routes près de Clarksdale, au Mississippi, se fait réveiller par une brise fraîche. Il est minuit. Une forme noire, vaguement humaine, est penchée sur lui et accorde sa guitare. C'est ainsi, en vendant son âme au diable, qu'il deviendra l'un des guitaristes les plus influents du vingtième siècle.

7.

J'ai soufflé sur mes bougies avec l'enthousiasme d'un condamné à mort. Quatre éteintes, douze encore allumées. J'ai regardé ailleurs. Le téléviseur, à plein volume sur le comptoir de la cuisine, me grugeait les nerfs. Mon frère Michel a soufflé les bougies restantes et s'est servi une large part de gâteau, un machin carré, rose et jaune, probablement usiné pour Steinberg. Il ne m'en a pas offert. Mon père s'est servi aussi. Il a attendu d'avoir la bouche pleine pour me dire: «T'en manges pas?» Les deux m'ont regardé en se demandant ce que j'avais. Je m'ennuyais de l'odeur des Duncan Hines que cuisinait ma mère. Je me suis levé en soupirant. Je les ai observés, tous les deux, je n'arrivais pas à croire que c'était ça, ma famille. Le noyau familial si important au développement de l'adolescent, le modèle, le point de repère. Ce lien du sang indéfectible, inattaquable, l'oasis en ce monde impitoyable: deux ahuris, la bouche grande ouverte, du crémage plein les lèvres. J'ai mentionné que j'étais allergique aux noix et je suis parti dans ma chambre, sans plus leur gâcher le plaisir d'écouter l'émission *Ad Lib* de Jean-Pierre Coallier. J'ai entendu « C'est même pas des noix, c'est de la pâte d'amandes ! » juste avant de claquer ma porte. J'ai mis la cassette d'*Outlandos d'Amour* dans mon *ghetto blaster* et je me suis étendu sur le lit avec le cube Rubik que je venais de recevoir en cadeau. J'ai vite perdu patience et je l'ai posé sur une étagère, entre le cube Rubik que j'avais reçu à Noël et celui, plus petit, que j'avais reçu à ma fête l'année d'avant.

C'était mon deuxième anniversaire depuis que ma mère était partie. Et chaque jour depuis son départ ressemblait à ça.

J'ai longtemps pensé que ma mère, avec sa forte tête et son besoin d'attention, empêchait mon père d'être ce qu'il était vraiment. À son départ je m'étais imaginé – naïvement, mais sans doute pour avoir quelque chose à quoi m'accrocher – que mon père pourrait enfin s'affirmer, que de devoir s'occuper de ses deux enfants tout seul le rendrait meilleur. La vérité, c'est qu'aucune qualité cachée n'a jailli du bonhomme. Pire, ses défauts ont pris de l'expansion ; plus personne pour modérer ses propos racistes et sexistes, pour l'empêcher de boire, abruti devant la télé, indifférent aux échecs scolaires de ses fils. Notre alimentation alternait entre le frit et le décongelé, souvent les deux. Je me chargeais volontairement du ménage ; vivre dans la crasse de ces deux monstres me répugnait. J'étais devenu Cendrillon.

Plus terrible encore, je me suis rappelé ce que mon père m'avait souvent répété : « À seize ans, tu vas enfin pouvoir travailler avec nous autres. »

Il m'est venu l'envie de fuir, là, tout de suite, par la fenêtre de ma chambre. Sans prendre le temps d'aller chercher ma guitare au sous-sol, sans avertir mes amis. Faire comme ma mère, oublier cette famille et ne jamais revenir. Mais j'ai décidé de rester. Sans savoir si c'était pour me croire plus fort qu'elle ou parce que le courage me manquait. Sans savoir s'il est plus lâche de partir ou de rester.

Crisses de *wops*, maudits macaronis sales, bande de mangeux de marde : tels étaient les commentaires de mon père chaque fois que nous croisions l'un de ses concurrents dans les rues de Laval. Des crottés. Des bandits. Des paresseux. J'étais assis à l'arrière de la camionnette, coincé sur un inconfortable siège d'appoint, les pieds sur des sacs de ciment et des canettes de bière. « R'garde-moi donc ça. De la brique rose, câlisse ! Ils ont mis de la brique rose ! Ça prend-tu des épais ! » Mon frère riait à chacune de ses remarques, les deux formaient vraiment une chouette équipe. Je les aurais bien laissés à eux-mêmes, si l'on m'avait donné le choix. Ou si j'avais eu assez d'espace pour me jeter par la fenêtre.

Grâce à l'orgueil de ses résidants, le quartier Val-des-Arbres était en pleine expansion. Il suffit qu'un propriétaire s'achète une piscine pour que ses voisins se découvrent une envie pressante de nager eux aussi, mais dans plus profond, plus grand et plus cher. L'année d'avant c'était la toiture, cette année, tout le monde faisait remplacer l'asphalte des entrées de garage par du Pavé-uni et mettait des arbres, des plantes et des fleurs partout. Mon père n'avait jamais autant travaillé, même s'il faisait preuve d'un désolant manque d'originalité dans ses arrangements, plantait des arbres là où il n'en fallait pas, ou décorait de plantes rares et spectaculaires, mal adaptées au climat, qui mouraient avant la fin de l'été. Quand mon père pestait contre le travail d'un concurrent, j'entendais plutôt son admiration et son impuissance face au talent des autres ; les Italiens faisaient mieux que lui, et pour moins cher.

Mon grand-père était déjà là. Debout à l'arrière de son camion, il déchargeait de grosses pelletées de sable. Je l'ai vu

sourire quand je me suis extirpé de la camionnette. Mon père
et lui m'ont regardé, fiers mais moqueurs aussi, comme s'ils
doutaient que ma frêle anatomie puisse leur être utile.

— Salut, grand-p'pa! *Wow!* T'es bronzé comme un
Italien!

Le silence qui s'est installé était grandiose. Étourdissant.
Je crois même que les oiseaux se sont tus. Plus rien ni personne ne bougeait. Je m'étais répété cette phrase la veille
avant d'aller dormir, conscient de l'impact qu'elle aurait. Je
n'étais pas déçu. J'espérais faire avorter ma carrière de paysa-
giste avant même qu'elle ne commence, qu'on me renie de la
famille et qu'on n'en parle plus. Mon grand-père, plus encore
que mon père, détestait les Italiens : un de ses ex-employés,
Sicilien d'origine, avait séduit sa femme. Ma grand-mère
vivait heureuse avec un riche concurrent.

J'attendais la réplique de mon grand-père, mon sort était
entre ses mains. J'anticipais l'instant de ma douce libération.
Il a pris le temps d'allumer une nouvelle cigarette avec celle
qu'il avait au bord des lèvres, sans nous regarder. Sa voix s'est
imposée dans le silence, forte, grave comme s'il prononçait la
sentence d'un condamné à mort.

— Faites-le charrier de la brique.

*Nous sommes désolés de vous apprendre que votre demande
de libération conditionnelle a été refusée. Veuillez réessayer plus
tard. Merci et bonne journée.*

☆☆☆

Les briques, il n'y a qu'une bonne façon de les transporter : en prendre une dans chaque main, les déposer à l'endroit voulu et recommencer. Mon frère préparait le terrain, mon grand-père coupait les briques et mon père s'occupait de les mettre en place. Ils avaient sans doute fait exprès de garer le camion aussi loin. Sous un ciel sans nuages, en pleine canicule, je voyageais du camion jusqu'au terrain, des dizaines d'allers et retours, deux briques à la fois. J'avais bien essayé de me monter un petit tas de briques et d'apporter tout ça en une seule fois, refusant d'écouter les mises en garde : j'en avais échappé une qui m'avait éraflé toute la jambe – j'étais le seul à porter un short – tandis qu'une autre avait frôlé le crâne de mon père. « Tu vas arrêter tes maudits voyages de paresseux tout de suite », m'a lancé mon frère. La riposte : « T'es pas mon boss, face de rat » m'est sortie naturellement de la bouche. Ça s'est poursuivi avec mon genou dans son ventre et une poignée de sable dans mes yeux. Pour terminer, mon père a distribué les claques sur la gueule en me disant de les attendre dans le camion.

Victoire partielle.

J'ai inspecté sous les sièges, dans la boîte à gants, il n'y avait rien à lire, rien à faire, rien d'autre à écouter que trois cassettes d'artistes insupportables : Roger Whittaker, Dwight Yoakam et Billy Ray Cyrus. D'où je les voyais, je pouvais au moins constater une chose : ils n'avaient aucune notion d'esthétisme, aucun goût musical, mais ils étaient travaillants. Après avoir mâché un paquet complet de Bubbalicious au raisin dans l'air suffocant du camion chauffé par le soleil, je me suis résigné et j'ai été les rejoindre, une brique dans chaque main. Personne n'a fait de commentaire, mais personne ne m'a chassé à coups de pied au cul. Dans cette famille, il ne fallait pas chercher plus loin les signes d'appréciation. Je me suis fermé la gueule et j'ai travaillé comme les autres. Pour accepter une défaite, il suffit de préparer sa vengeance.

☆ ☆ ☆

Et ma vengeance ressemblait à ceci : une Fender Stratocaster noire, qui m'avait attendu tout l'été au fond d'une boutique d'instruments de musique. Un vendeur a ouvert de grands yeux ronds en voyant mes billets de cent dollars – douze en tout – apparaître dans la main que j'agitais au-dessus de ma tête en sifflant. C'est la seule façon pour un adolescent d'attirer l'attention d'un commis chez Steve's Music Store, surtout lorsque Michel Pagliaro et Aldo Nova choisissent ce moment pour magasiner les médiators, retenant les services de tous les vendeurs pour une transaction de quelques sous. L'important ici n'est pas la valeur de l'achat mais celle du client. Tout de même, mon vendeur a fini par me guider vers la guitare que je désirais, dans le rayon des gauchers. Je l'ai inspectée sous tous ses angles, comme un pro, vérifiant le manche, la justesse des touches, la hauteur des cordes ; je n'y connaissais rien, mais lui ne le savait pas. J'ai grimacé en lui faisant voir une égratigure. J'ai reposé la guitare sur son présentoir et j'ai sorti les billets de ma poche pour les remettre dans mon portefeuille. Le vendeur, déçu, m'a offert un rabais et m'a mis dans les mains un accordeur, un métronome et un tas d'autres petits machins gratuits. Tout ça pour une simple égratignure que j'étais venu faire une semaine avant.

En arrivant à la maison, je l'ai sortie de son étui rien que pour l'admirer. Je savais que je ne m'en séparerais jamais, que j'en prendrais soin toute ma vie.

Il me restait maintenant à annoncer à mon père ce que je voulais faire de ma vie. Il reposait dans un état semi-végétatif – mi-homme, mi-bosquet –, assis en plein soleil dans l'entrée de garage sur une chaise pliante, à boire sa bière qu'il tenait au frais dans un contenant de styromousse. Il arrosait le pavé-uni. Je lui ai montré les résultats de mes tests d'admission au département de musique du cégep de Sainte-Thérèse. J'avais fait toutes les démarches sans lui en parler. «C'est quoi, ça?» Je lui ai dit que j'allais étudier en guitare.

— Non.

J'ai eu droit aux clichés d'usage: «Les musiciens se droguent, ils ne font pas d'argent, c'est pas un métier, tu vas finir dans la rue.» Aussi: «T'as de l'avenir dans la compagnie de ton grand-père, si tu te muscles un peu.» Celui-là m'a fait frissonner.

J'ai précisé que je ne travaillerais plus pour eux. Plus jamais. Je ne demandais pas sa permission, tout était déjà réglé. Je savais qu'il n'approuverait pas ma décision; il espérait me voir terminer mon secondaire pour aller pelleter du sable en famille. Que je fasse comme Michel, le fils qui a fait tout ce qu'il faut. Celui qui a suivi le chemin tracé pour lui sans se poser de questions, sans douter de rien. «Toi, t'es exactement comme ta foutue mère.» Ce n'était pas un compliment, mais j'étais flatté. Je lui ai donné les détails: j'irais habiter en résidence au cégep et je reviendrais à la maison pour les congés des fêtes et pour travailler l'été. «Puis tu penses travailler où?» J'ai ri nerveusement, sa question laissait entendre qu'il me laisserait faire, que j'avais gagné. J'ai répondu n'importe quoi, quelque chose à propos du destin ou du hasard qui saurait mettre un emploi satisfaisant sur mon chemin.

— Dis-moi juste une chose.

Rien qu'au ton de sa voix, j'ai compris que ce serait une question délicate et qu'il espérait une réponse honnête. «Pourquoi tu veux absolument plus travailler avec nous?» J'aurais pu répondre que l'idée de devenir un simple ouvrier me faisait honte. Que je trouvais ma famille vulgaire et inculte. Que les Italiens, malgré leur tendance à abuser de sculptures en plâtre et autres bassins à oiseaux, travaillaient mieux qu'eux et qu'ils devraient les observer et apprendre, plutôt que de les ridiculiser. J'aurais pu répondre aussi que j'aspirais à laisser une trace, si mince soit-elle, sur terre avant de mourir. Il y avait tant de choses que j'aurais voulu dire, mais je n'avais ni le désir ni la patience de m'expliquer, encore moins de révéler mes ambitions qui s'élevaient bien au-dessus des leurs. Tourner le dos à tout ce que ma famille représentait en devenant musicien avait plus d'impact que n'importe quel discours.

— Après une journée à charrier de la brique, j'arrive plus à plier mes mains... J'en ai besoin pour jouer de la guitare.

Il a dû se contenter de ça. Il a repris l'arrosage de l'entrée en visant quelques grosses fourmis noires qui tentaient une héroïque traversée.

☆ ☆ ☆

Le matin et l'après-midi : les cours. Puis une heure de pratique de piano et de solfège dans un petit local insonorisé. Ensuite, retour à ma chambre. Une heure de gammes, une heure d'enchaînements d'accords, une heure à jouer des pièces instrumentales, une heure de théorie. Cette routine cinq jours par semaine, et, puisqu'il n'y a pas de cours, le double d'heures de pratique le samedi et le dimanche.

Ma chambre était située au cinquième étage du département de musique. Un lit, un bureau, une chaise, un lavabo. Le vendredi, j'allais faire l'épicerie avec Miguel, un copain guitariste qui habitait au même étage que moi. Nous partagions les frais, et avoir de la compagnie pour le souper était le bienvenu. Notre folie de la semaine : chacun une énorme poutine, le soir avant d'entrer au supermarché.

La vie quasi monastique qui nous était imposée nuisait aux contacts sociaux. Miguel trouvait quand même le temps d'avoir un genre de relation avec Mélanie, une connaissance de l'école secondaire que je lui avais présentée. Relation sexuelle plus que toute autre chose, elle étudiait le violon et n'avait pas plus le temps que nous de s'engager dans de longues conversations, encore moins dans d'impensables sentiments amoureux. Elle habitait en résidence aussi, dans ce qu'on appelait « la tour des vierges », un immeuble bien gardé – sauf la porte arrière, pour autant que quelqu'un l'ouvrît de l'intérieur – qui n'abritait que des filles. Le rêve. Elles avaient droit à de petits appartements sympathiques avec salon et cuisine, alors que du côté des hommes nous n'avions droit qu'à une chambre par tête et à une salle à manger commune. Leurs douches, situées au bout de chaque étage, nous permettaient de croiser avec bonheur, dans les corridors, des filles mouillées vêtues de courtes serviettes. Chaque jeudi, Miguel et moi faisions une entrée discrète dans la tour ; c'était chez Mélanie que nous allions regarder *Lance et Compte*, sur sa vieille télé, en compagnie d'une dizaine de personnes. Posséder un téléviseur vous assurait un statut privilégié et des amitiés nombreuses.

J'avais une discipline à toute épreuve et une concentration intense, je refusais de me laisser distraire. Mais bon. Il y avait ces envies de sexe, aussi. Elle s'appelait Audrey, petite blonde avec de grands yeux verts hypnotisants, trop beaux, étudiante en théâtre. Très occupée, rapidement consentante. Il semble que tripoter des garçons en écoutant Dead Can Dance faisait partie de son apprentissage d'actrice. Les positions sexuelles que nous avons adoptées dans une aussi petite chambre – lit, bureau, chaise, lavabo – relevaient de l'exploit. Après de rapides séances de fornication matinale, je descendais en deux minutes les étages qui me séparaient de mes cours, ma guitare à l'épaule, la chaleur de sa peau encore à ma bouche.

Mon professeur de guitare, le vieux Sam, était impitoyable. Devant le peu d'avenir des musiciens moyens, et pour nous initier à la pression du milieu professionnel, il usait de tactiques militaires pour faire craquer les plus faibles. Humiliations, ostracisme, mauvaise haleine, il poussait sans cesse nos limites, et la moitié des guitaristes avaient décroché dès les premières semaines sous son autorité. Il m'a fallu endurer, pendant mes mois de formation, ses tentatives pour me déconcentrer pendant qu'à sa demande j'enfilais gammes et arpèges à toute vitesse sur ma guitare. Il jouait des chansons pour enfant au piano, sapait à mon oreille en buvant son café, allumait la radio, discutait avec d'autres élèves, je ne devais me laisser distraire par rien. Il se coupait parfois les ongles, aussi. Je voyais les retailles passer devant moi, entre mes yeux et les partitions de jazz compliquées que je devais interpréter en lecture à vue. J'ai supporté tout ça pendant une année et demie, puis j'en ai eu assez de cette formation militaire qui ne laissait aucune place à la création. À ma sortie du cégep, on ne m'avait pas encore appris à composer des chansons, mais j'aurais pu jouer mes gammes, imperturbable, dans une tranchée en temps de guerre. J'étais sceptique à l'idée que ça puisse m'être utile.

Les premiers beaux jours de l'été. Avec, en prime, de bonnes places sur la terrasse avant du Saint-Sulpice. Les filles étaient belles, rue Saint-Denis : elles monopolisaient tous les regards, ceux de Daniel, de Nicolas et les miens, de même que ceux des vieux décrépits qui s'engouffraient dans la pénombre du Picasso en leur jetant des regards optimistes, se croyant jeunes et cools avec leurs Perfecto de cuir, leurs jeans serrés et leurs North Star blancs. Éblouis devant ces beautés diverses, obligés de se protéger les yeux derrière des verres fumés, les hommes auraient pu s'étendre par terre et se laisser marcher dessus rien que pour avoir la chance de jeter un œil sous les jupes courtes. Il suffit de les regarder passer quelques minutes, toutes en sourires, peaux douces et tissus légers, pour se convaincre que la monogamie est une aberration. Ceux qui rêvent de passer leur vie avec une seule personne sont des dépendants affectifs, des romantiques puérils qui croient encore aux contes de fées, ou encore des laiderons, conscients de leur chance d'avoir rencontré quelqu'un qui les accepte tels quels, avec leurs poils, leurs plis, leurs bosses et leur bave.

Malgré les jupes des filles, nous étions tous les trois plutôt déprimés. Daniel, peu inspiré par ses années d'études en littérature, était passé par la psychologie pour finir lui aussi par décrocher. Il travaillait maintenant comme gérant – sous-payé – chez Scratch, une petite boutique de disques neufs et usagés. Nicolas avait terminé ses hautes études commerciales avec succès, il pensait ouvrir un commerce et y vendre les meubles qu'il fabriquait. Il était revenu d'Espagne avec deux cents pages de notes, d'impressions, de dessins, et espérait publier ses carnets de voyage. Nous rêvions d'argent et de liberté, deux choses que nous ne possédions pas. Il n'y avait que Daniel qui vivait en appartement, Nicolas et moi étions toujours coincés à Laval, dans les bungalows de nos parents. Mon frère était parti de la maison, apportant avec lui sa chaîne stéréo, ses gigantesques haut-parleurs recouverts de tapis et toute sa collection de disques. Adieu AC/DC, Kiss, les Stones, David Bowie. Je vivais maintenant seul avec mon père et je n'avais plus qu'un *ghetto blaster* qui bouffait mes cassettes et les recrachait avec le ruban tout emmêlé.

Je savais qu'habiter rien que lui et moi n'allait pas nous rapprocher, mais je n'imaginais pas que l'ambiance s'alourdirait davantage. La maison était devenue trop grande, et le téléviseur et la radio allumés en même temps ne suffisaient plus à combler le vide et les silences. Mon père semblait même regretter le départ de Caramel, un labrador décérébré que Michel avait acheté deux ans plus tôt. Même s'il ne parlait que des dégâts qu'avait faits ce chien, je voyais bien qu'il s'en ennuyait. La maison n'était plus qu'une succession de pièces presque vides, et les souvenirs des jours heureux que j'y avais passés ne réussissaient plus à la rendre vivante. Je devais partir de là au plus tôt.

— Tu devrais écrire des chansons pop.

— Quoi?

Daniel me regardait comme si son idée méritait qu'on l'applaudisse.

— Ben oui! Tu écris une chanson pop une fois de temps en temps et tu la donnes à une marionnette qui fait de la variété, ensuite tu ramasses l'argent pour réaliser tes projets «artistiques».

Il a fait de grands gestes avec les doigts pour appuyer les guillemets entre lesquels il avait mis le mot artistiques. Je croyais qu'il blaguait. Nicolas l'a appuyé :

— Regarde le gars qui a écrit «Hélène», pour Roch Voisine : ce bonhomme-là aura plus jamais besoin de travailler de sa vie. Une petite chanson d'amour, ça peut pas te nuire.

Comme pour lui donner raison, deux voitures sont passées : par les fenêtres ouvertes, on y entendait la chanson.

— Plutôt crever que d'écrire des chansons pop! Jamais. Non mais vous me prenez pour qui? Je suis pas une pute! Je m'en fous de pas avoir de succès, tout ce que je veux, c'est de jouer ma musique sans que personne vienne me dire quoi faire! Et si jamais j'écris une chanson d'amour, abattez-moi!

Je trouvais leur suggestion idiote et je ne voulais plus en parler. J'ai demandé à la serveuse, qui m'envoyait des sourires plus que professionnels, de nous apporter un troisième pichet. Daniel a changé de sujet : «En passant, mon coloc s'en va vivre avec sa blonde. Si jamais vous connaissez quelqu'un qui se cherche de quoi de pas trop cher…» C'est tout juste si mes affaires ne se sont pas jetées d'elles-mêmes dans des boîtes, prêtes à partir. La serveuse est revenue avec la bière, ainsi qu'avec son nom et son numéro de téléphone inscrits sur une serviette de papier. J'ai montré la chose à mes deux amis, qui ont soupiré en même temps. Nicolas voulait connaître mon truc.

— Facile. Pour qu'elles te courent après, il faut que tu laisses supposer que t'es en couple et que tu t'intéresses pas à elles. Si t'as l'air libre, elles s'attendent à ce que ça soit toi qui fasses tout le travail.

— Je suis en couple puis ça m'aide pas !

— Ouais. Bon. Un autre bon truc, c'est d'être grand et mince.

— Tu m'écœures.

J'ai haussé les épaules en empochant la serviette, un sourire baveux accroché au visage. Cette Isabelle a été la première fille à dormir chez moi, dans mon premier appartement, sur un matelas sans lit. Il ne me restait plus qu'à trouver comment j'allais régler ma part du loyer.

Je n'appelais pas souvent. Et, chaque fois, la voix de mon père résonnait comme s'il était dans une grande pièce vide. Je devinais dans ses silences et ses hésitations qu'il avait connu des jours plus heureux. J'évitais de lui demander comment il allait, preuve qu'il avait réussi à glisser son incapacité à communiquer dans mon code génétique. Et qu'avais-je à lui dire de ma vie ? Que c'était une suite ininterrompue de fêtes, de sexe, de spectacles à s'en défoncer les tympans dans des bars crasseux ? Que je me sentais enfin libre, dans l'appartement qui puait la cigarette, la marijuana et la pizza ? Que je n'avais aucune idée de l'endroit où la musique allait me mener ? Rien de neuf. Toi ? Pas grand-chose. Tranquille. Ça va, ça va. J'ai pas à me plaindre. L'avenir me faisait peur, il n'en saurait rien. Je taisais autant mes bonheurs que mes angoisses, je ne cherchais ni à m'attirer ses conseils ni à le convaincre que tout allait bien. Un appel de routine, une obligation polie, un échange de vide, de faux, de généralités, un simulacre de vie familiale. Il cachait ses émotions, moi, j'en faisais des chansons : à chacun sa manière de rester silencieux.

L'amour est plus fort que tout
Plus fort que moi
Je tombe à m'en rompre le cou
À chaque fois

Elle se faisait appeler Amélie Mellow, elle chantait l'amour, et moi, je n'y comprenais rien. Une chose est sûre, c'est que tomber amoureux n'avait rien d'attirant. Elle avait écrit une quarantaine de chansons rien qu'avec cette peine qu'elle traînait depuis deux ans : ça avait au moins le mérite de l'inspirer, et de me permettre de travailler pour la première fois dans un studio professionnel. Elle aurait bien aimé que je délaisse ma guitare pour m'occuper un peu d'elle, mais les romantiques, vraiment, plutôt crever que de toucher à ça. Je pratique le sexe sécuritaire : condoms, court terme et absence de sentiments.

Je suis entré avec ma clé. Ils étaient tous les deux devant le téléviseur, avec chacun une bouteille de bière entre les jambes. Mon père dans son LA-Z-BOY, mon frère assis par terre, appuyé sur le divan. C'était leur conception du temps de qualité en famille : regarder le hockey du samedi ensemble, ne rien se dire, crier à l'unisson dans les moments forts et demander à l'autre s'il veut une autre bière ou une poignée de crottes de fromage. J'aurais aimé, en les voyant, qu'on me dise que je ne leur ressemblais pas, que je ne leur ressemblerais jamais. J'ai poussé un grand soupir et j'ai patienté ; dévoiler tout de suite le but de ma visite n'aurait servi à rien. Une partie Canadiens – Nordiques : j'étais mal tombé si je voulais un peu d'attention.

J'ai fouillé dans le frigo en attendant. J'avais envie d'alcool, certes, mais c'était une vision horrible que de nous imaginer tous les trois une bière à la main, père et fils. Famille unie. Je me suis ouvert une bouteille de Denis aux fraises. J'ai plié une tranche de fromage orange pour la séparer en quatre morceaux que j'ai posés sur des biscuits soda. J'ai mangé mon festin et je suis allé les rejoindre. « Qui qui mène ? » Ils ne m'ont même pas regardé. J'ai agité une main pour leur signifier que j'étais encore là. Mon père a fait un effort :

— Trois à deux Canadiens. Tu connais rien au hockey, de toute façon.

Fin de la période, pause commerciale : ils m'ont accordé un peu de leur temps alors que je remettais mes bottes et mon manteau. Comme preuve de bonne volonté, ils ont été jusqu'à baisser le volume du téléviseur. J'ai brandi une cassette au bout de mes bras, comme si c'était la torche olympique, en criant « Tadam ! » pour les exciter un peu. Aucune réaction. J'ai allumé la chaîne stéréo. Dans le silence précédant la première pièce, mon père m'a demandé qui c'était. Amélie Mellow. « Connais pas. » J'ai expliqué que c'était normal, que c'était son premier album et qu'il ne serait disponible en magasin que dans deux semaines. Ce qu'il fallait savoir, c'est que j'y jouais de la guitare sur la plupart des pièces et que j'avais composé deux musiques. Michel est parti à la salle de bain. La première chanson a débuté, ce qui a fait sursauter mon père. C'était trop rock pour lui. Il m'a demandé de baisser le son, disant qu'il n'aimait pas trop. J'ai soupiré, il a fallu que je précise que ce n'était pas grave qu'il aime ou pas, l'important, c'était de savoir que c'était moi qui jouais sur l'album, qu'il comprenne que j'avais déniché un contrat, qu'on m'avait payé pour jouer de la guitare, pour écrire des chansons.

J'ai entendu la sirène qui annonçait le début de la deuxième période. Mon père a monté le volume du téléviseur et m'a demandé d'arrêter la musique. Mon frère, de retour avec deux bières, m'a fait signe de me déplacer, disant que je n'étais pas transparent. Ils ne m'accordaient plus la moindre attention.

J'ai repris ma cassette et j'ai boutonné mon manteau. Qu'est-ce qu'une famille si la fierté n'y est pas ? s'il est impossible de partager ses petits moments de gloire ? Je suis sorti sans saluer personne. Juste avant de claquer la porte, j'ai entendu un de ces monstres qui éructait.

J'ai lancé ma clé dans un banc de neige, en espérant que la tondeuse s'y casse les dents au printemps. La prochaine fois que je viendrais, je sonnerais, comme le font les étrangers.

8.

Mon grand-père disait toujours : « Je me reposerai quand je serai mort. » Voilà donc, vieux. Je l'ai regardé de loin, je me demandais comment les embaumeurs avaient réussi à transformer son habituel rictus de dégoût en une bouche fermée, inexpressive. Le simple fait de le voir couché, sans cigarette aux lèvres, avait quelque chose d'insolite. J'ai murmuré à distance un sobre « bonne chance de l'autre bord », convaincu qu'il n'y a rien d'autre après la mort que décomposition et petits vers blancs, mais peu disposé à l'ennuyer avec ça. Et, dans cet état, il en savait maintenant plus que moi sur le sujet.

Je l'ai laissé avec quelques vieilles tantes pieuses qui murmuraient des prières que je ne connaissais pas et je me suis mêlé à la foule, des gens qui ne s'étaient pas vus depuis longtemps et qui résumaient leur situation à voix basse, partagés entre la joie des retrouvailles et les convenances qui obligent au recueillement et à la mine triste. J'ai serré des tas de mains, j'ai adressé mes condoléances à certains et à d'autres j'ai oublié, toujours aussi mal à l'aise face à ce cérémonial dont j'ignore les règles les plus élémentaires. Sandrine se débrouillait beaucoup mieux que moi. Elle avait une parole réconfortante pour chacun, y allait chaque fois d'une petite attention qui, visiblement, touchait la personne. Avec mon père, mon frère et sa femme, elle était affable, prévenante, affichait même une réelle tristesse sur le visage. Quant à moi, je pensais à autre chose ; sa longue robe noire qui lui collait au corps et moulait ses fesses me donnait envie de lui enlever sa culotte avec mes dents. De jeunes cousins acnéiques, des Louis-Alexandre ou François-Xavier ou je ne sais quoi encore, qui la suivaient comme des chiens dressés, semblaient avoir la même idée que moi. Je me suis retenu de distribuer des claques.

Sandrine nous organisait un petit dîner « en famille » après la cérémonie. Les jambes m'ont ramolli ; j'arrivais trop tard pour m'opposer. Mon père trouvait que c'était parfait, et, en regardant où il posait les yeux, je ne savais plus s'il parlait de l'invitation ou du décolleté. J'ai dévisagé Sandrine avec un sourire à l'envers. Tout ça allait sûrement mal finir.

Les gens se sont tus quand ma grand-mère est entrée. Elle s'est tout de suite dirigée vers le cercueil, en pleurant, sans regarder personne. Elle avait eu la bonne idée de laisser son nouveau mari à la maison.

La cérémonie pour mon grand-père allait débuter. J'ai accroché Sandrine par le bras et j'ai fendu la foule qui se dirigeait vers la chapelle, au sous-sol du salon funéraire, pour m'assurer d'avoir une bonne place, à l'arrière. Mon frère s'est assis sur le banc juste devant le nôtre. Mon père, dans la première rangée avec sa mère et ses trois sœurs, nous faisait signe de le rejoindre. Nous avons répondu, par gestes, quelque chose comme « Désolé, non, merci, mais arrête de gesticuler, t'as l'air idiot et ça commence, alors assieds-toi… »

Le prêtre nous a déclamé un sermon impersonnel qui laissait croire que le défunt était un saint homme et qu'il irait droit au ciel, sans escale, alors que le public, mains jointes, regard au sol, écoutait flatteries et infopublicité sur les vertus de l'Église sans sourciller.

Le dernier souvenir que j'ai de mon grand-père, outre son aspect décoratif, assis près du sapin à chaque Noël, c'est le jour où il est venu sonner chez moi, comme ça, sans raison particulière, alors que j'habitais avec Daniel. Il m'avait seulement dit: «Habille-toi puis embarque», sans dire bonjour ni demander si j'étais libre.

Je m'étais assis dans le camion sans un mot, docile, sans même oser demander qu'on arrête pour un café. Je me souviens de ses mains, calleuses et jaunies, serrées sur le volant alors qu'il traversait le pont Papineau pour m'entraîner dans les rues de Laval. «Comme ça, tu trouves ça laid, ce qu'on fait.» Sa remarque ne laissait pas entendre qu'il voulait que je réponde. Je me suis tu, donc. «On fait ce qu'on peut avec l'argent qu'on nous donne pour le faire, tu sais.» Je ne savais pas ce que je faisais dans son camion, je voulais un café, je voulais retourner chez moi. Il s'est arrêté dans le quartier Val-des-Arbres, devant ce qui m'a semblé être le terrain le mieux aménagé de toute la ville. Une opulence discrète, des arbres bien choisis, une maison habilement mise en valeur par les reliefs du terrain, du grand art. Voilà donc où il voulait en venir. «C'est vous autres qui avez fait ça?» Il m'a souri.

— Raynald et Michel. Moi, j'ai touché à rien.

J'étais impressionné. Difficile d'imaginer mon père et mon frère réussir un aménagement semblable. Après m'avoir laissé le temps d'observer le terrain – tout de même, je n'étais pas excité au point de sortir du camion et de me rouler sur la pelouse –, il a redémarré. «C'est la première fois que je vois de la fierté dans ta face, Alex. J'ai hâte de dire ça à ton père. La fierté, dans la famille, il faut la faire sortir comme on presse une orange.» Oui, ça, je l'avais constaté.

Il y est ensuite allé d'un petit sermon moralisateur sur le fait qu'eux aussi souhaitaient laisser une trace de leur passage, exactement comme moi. Ces arbres qui y seraient encore dans cent ans, ces aménagements qui verraient passer plusieurs familles avec leurs joies et leurs drames, blablabla. J'ai préféré me taire plutôt que de lui faire remarquer l'homme qui coupait un gros arbre, probablement infesté d'insectes, et lui demander si c'était lui ou mon père qui l'avait planté. Je me suis tu aussi en voyant l'adolescent débile qui roulait avec une tondeuse à gazon sur une platebande de fleurs rares. Nous avons beau vouloir laisser des traces, c'est sans compter les gens qui nous suivent et qui veulent en laisser aussi.

C'est une sonnerie de téléphone qui m'a sorti de mes pensées, pendant l'homélie, juste au moment où j'allais m'endormir. J'ai reconnu la mélodie de «Closer», de Nine Inch Nails. Mon téléphone, Didier Lombard sur l'afficheur. Je suis sorti de la chapelle par une porte de secours, sous quelques regards menaçants, trop heureux de fuir l'atmosphère étouffante de la salle pour l'air frais du dehors.

— Alex, ton batteur vient de péter sa coche. Écoutes-tu *Odile Crocodile* ce matin?

Je ne comprenais pas. Je n'arrivais pas à associer Manu et *Odile Crocodile*, cette émission débile pour enfants attardés. Je ne voyais pas non plus ce que je ferais à onze heures, un samedi matin, devant la télé. J'ai demandé des explications: Lombard m'a conseillé de trouver un téléviseur dans les dix secondes suivantes.

J'ai inspecté autour: salon funéraire, maisons, dépanneur. J'ai couru jusqu'au dépanneur. En entrant, j'ai tout de suite repéré l'appareil accroché au mur. Un petit attroupement regardait déjà *Odile Crocodile* avec attention. L'émission, tournée en direct, mettait en scène Couscous l'ours, qui dansait chaque semaine en zigzaguant au milieu d'arbres en papier mâché. Mais, cette fois, la chorégraphie de Couscous était plutôt inhabituelle : il y avait deux arbres par terre, et l'ours titubait en s'accrochant au décor. Jojo le corbeau tentait de l'aider, mais Couscous l'ours le repoussait d'une patte. Les enfants dans l'assistance, émerveillés, riaient à en pleurer. J'ai repris le téléphone pour demander à Lombard ce que tout ça avait à faire avec Manu pendant que Couscous, l'ours fou, se jetait sur un arbre couché par terre et – le geste était sans équivoque – se frottait le bassin sur un tronc d'arbre. Juste avant de voir à l'écran « difficultés techniques – de retour dans un instant », la tête de l'ours est tombée : gros plan sur le visage de Manu, l'œil rouge et hagard.

Ça me faisait beaucoup d'informations à assimiler d'un coup. J'ai dit à Lombard que je l'appellerais plus tard, puis j'ai traversé la rue, obsédé par cette vision cauchemardesque d'un ours copulant avec un arbre, affublé d'une tête d'humain aux traits empruntés au batteur de mon groupe.

Dans la salle, le discours du prêtre était terminé. On entendait une musique religieuse tirée d'une cassette usée, le son ralentissait et se distordait en passant du grave à l'aigü. Michel et Sandrine échangeaient des regards, au bord du fou rire. Je leur ai fait signe de me rejoindre pour aller fumer dans le stationnement. Ils ont accepté avec joie. Sandrine ne touchait plus à la cigarette, sauf dans les occasions spéciales : sorties dans les bars, mariages, enterrements, soupers entre amis, annonce d'une bonne nouvelle, annonce d'une mauvaise nouvelle, stress trop intense, vacances, annonce que le batteur de son groupe est une mascotte lubrique.

☆ ☆ ☆

Le dîner a eu lieu dans un casse-croûte empestant l'oignon, la graisse et l'aisselle de cuisinier moustachu. Sandrine était stupéfaite de constater à quel point ma famille, en dépit de nos rares rencontres, n'avait rien à se dire. Mon père, peut-être pour montrer un peu de bonne volonté devant Sandrine, faisait semblant de s'intéresser à ce que devenaient mes amis d'enfance.

— Chose, là, le gros qui sue tout le temps, il devient quoi?

— Nicolas. Il s'appelle Nicolas. Il travaille toujours dans son magasin, il vend les meubles qu'il fabrique.

— Ah? Je savais pas qu'il faisait des meubles. Pis l'autre, là, le *looser* qui perdait son temps dans un magasin de disques?

— Daniel. Il travaille encore là.

— Ah bon. Puis le frisotté, celui qui a l'air tapette?

J'ai soupiré sans lui répondre. Michel sapait en engouffrant ses frites, sa femme m'a regardé, l'air de dire: « Mais qu'est-ce qu'on fait ici, déjà? Pourquoi ne sommes-nous pas chacun chez soi?» Elle s'est risquée avec un: «Sinon, Alex, quoi de nouveau?»

Je suis amoureux d'une fille, vous avez remarqué? J'habite avec elle, même. Nous avons un album qui sera lancé bientôt. Nous irons en France pour une tournée de promotion. Mon batteur est un dément. J'en veux encore à mon père d'avoir laissé partir ma mère sans réagir. Je m'ennuie d'elle. Mon grand-père vient de mourir et je ne ressens rien. J'ai peur de vouloir trop d'amour et de ne pas en donner assez.

— Rien de neuf.

Sandrine m'observait, je pouvais lire ses pensées : « Mais pourquoi tu ne dis rien ? Parle-leur de ta vie ! Dis-leur que tu existes ! » Ma famille ignorait tout de moi depuis à peu près dix ans.

— Alex et moi, on sort un disque.

La phrase a semblé surgir de nulle part et s'est perdue parmi les bruits de mastication, d'ingurgitation, de sapement et de pailles récurant le fond des verres. Telles des mouettes, mon père et mon frère se disputaient mon restant de frites. Ce qui ne se met pas dans la bouche ne leur est d'aucun intérêt.

— Vous êtes sourds ou quoi ?

Cette fois, elle a retenu l'attention. J'ai voulu m'interposer avant qu'il y ait du grabuge, m'excusant presque pour l'absence de curiosité de ma famille, mais elle m'a coupé la parole, en articulant bien pour ne pas avoir à le répéter : « Toi, ta gueule. » Elle a regardé mon père : « Non mais, j'ai jamais vu du monde aussi moron ! Vous pourriez au moins essayer de vous intéresser aux autres une fois de temps en temps ! Vous êtes des larves. Pas de couilles, pas de colonne vertébrale, je comprends d'où Alex tient ça. »

Le temps que je me lève pour la retenir, elle était déjà partie. Il y a eu un long silence interrogateur pendant que je réfléchissais à ce que je devais faire puis, vaincu, je me suis rassis. La vie a repris son cours : mon frère a ramassé les frites noircies dans le fond des assiettes, mon père a regardé ailleurs. Mes craintes s'avéraient fondées : en lui présentant ma famille, je venais de lui dévoiler ce que j'avais de pire en moi et que je parvenais, la plupart du temps, à contenir. Ils étaient les caricatures d'un Alex que je ne voulais pas devenir, ils étaient mes défauts exposés à la vue de tous.

Michel a terminé la nourriture qui restait – jusqu'au coin de fromage échappé d'un burger qui séchait sur la table bien avant notre arrivée – et nous sommes retournés aux voitures. Sandrine n'était plus là. Disparue dans les rues de Laval.

☆ ☆ ☆

Je suis sorti du lit et je me suis traîné jusqu'à la salle de bain pour prendre une poignée d'Advil. J'ai inspecté mes cernes dans le miroir, je me suis porté un toast avec le verre à eau encroûté de calcaire, en me souhaitant bonne fête, et j'ai fait descendre les comprimés. Trente-deux ans.

J'avais un rendez-vous pour le lendemain dans les bureaux de Lombard, je devais à ce moment remettre ma chanson pour Marie-Jeanne. J'avais tellement lambiné que les attentes étaient démesurées : ils semblaient croire que je m'échinais le jour et la nuit à créer la chanson d'amour la plus touchante de tous les temps. Fred partait en France afin de consolider nos contacts, de lécher quelques bottes et de gonfler la réputation de Sandrine. Pour remettre ma chanson à Marie-Jeanne, aussi.

Je n'avais encore rien écrit.

Le soleil était à peine levé, j'avais le grand appartement pour moi tout seul, des litres de café, une page blanche à remplir et deux jours d'insomnie dans le corps. Prêt à noter la moindre phrase inspirée. Plus de cigarettes, mais j'allais faire sans : pas le temps de sortir pour en acheter. Et si j'arrêtais de fumer ?

J'ai feuilleté mes cahiers de notes, afin de m'assurer qu'il n'y avait pas là un petit bijou de phrase qui m'aiderait à faire surgir le texte d'une chanson d'amour. Rien à première vue. À deuxième vue non plus. C'était trop littéraire, et je cherchais quelque chose de plus organique, d'instinctif. J'ai pris ma guitare, j'ai enchaîné quelques accords. Une piste intéressante. J'ai noté quelques mots dans mon calepin.

Le temps n'avait plus cours, rien n'existait d'autre que cette chanson à faire surgir de nulle part. Je remplissais des pages, je notais des accords, des phrases, des mots, je rayais, je recommençais. Au deuxième couplet, j'étais affamé. J'entendais les rumeurs diffuses de la rue : les restaurants s'emplissaient, sur les balcons on allumait les barbecues, la *dolce vita* passait sous ma fenêtre. Je me suis levé pour m'étirer le dos, me dégourdir les jambes, et je me suis commandé du poulet. Ils ne livraient pas de cigarettes, m'ont-ils dit. J'ai repris le travail, le nez dans mes dictionnaires. Besoin d'une rime en « aire ». Besoin d'un pont musical. Besoin d'arrêter de penser à Sandrine. Besoin de parler à Sandrine.

J'ai appelé chez Lou, Sandrine y dormait depuis trois jours. Mais Lou refusait de me laisser lui parler et j'avais beau la traiter de tous les noms, ça ne semblait pas aider ma cause. J'ai au moins obtenu le droit de lui transmettre un message. J'ai réfléchi longtemps avant de le dicter. « Je t'aime. Reviens à la maison. Je ne dors plus. » Je n'étais pas satisfait et je lui ai demandé de changer l'ordre ; finir par « Je ne dors plus » semblait égoïste ou désespéré. « Reviens à la maison. Je ne dors plus. Je t'aime. » Non. C'est le « Je ne dors plus » qui n'allait pas, point. Je lui ai demandé de l'enlever et de remettre les deux autres phrases dans l'ordre initial, mais elle avait déjà raccroché. J'étais d'humeur irritable, alors ça m'a fâché. Sous l'impact, un des morceaux du téléphone est resté coincé dans le mur. J'ai déclaré solennellement, à haute voix, qu'après une rupture il est légitime de péter sa coche à tout moment.

Après le poulet, j'ai rayé tout le texte du refrain. Je pouvais faire mieux. Je me suis permis de sortir pour acheter des cigarettes et je suis revenu à la course pour noter le nouveau refrain qui venait de jaillir alors que je me questionnais sur l'authenticité des seins de la caissière. J'ai dû me débarrasser de tout un couplet pour que ça ait du sens. Au milieu de la nuit, je suis descendu au local pour enregistrer la pièce. Mes doigts tremblaient. La fatigue, le café. Ma gorge était sèche, ma voix, rauque. J'arrivais à peine à chanter, mais j'avais une chanson. Je l'ai gravée sur quelques CD et je suis remonté, pas peu fier. Un petit bijou de musique pop : « L'amour est un plaisir solitaire. »

Avant d'aller au lit et de profiter des quelques heures de sommeil qui me restaient avant le rendez-vous, à l'aide d'un téléphone que je n'avais pas encore démoli, j'ai écouté les messages qu'on m'avait laissés : la secrétaire du dentiste me rappelait que mon dernier examen remontait à plus d'un an. Nicolas me souhaitait bonne fête. J'ai lu mes courriels : rien d'autre qu'une carte animée de Daniel et quelques pourriels. De Sandrine, rien. Les gémissements d'une fille dans le film porno qui jouait chez la voisine me faisaient paraître le lit encore plus vide.

Bonne fête, Alex.

Je n'ai même pas eu le temps de draguer la secrétaire de Lombard en lui demandant où était passée sa lampe chimpanzé. « Ils vous attendent depuis longtemps. » Je n'avais pourtant que dix minutes de retard. Pouvait-on me reprocher d'avoir enfin dormi trois heures? J'ai inspiré un grand coup avant d'entrer, je savais que revoir Sandrine me virerait les tripes à l'envers.

Ils inspectaient la maquette de la couverture. Version définitive, prête à envoyer chez l'imprimeur. On y voyait Sandrine – rien qu'elle – une guitare à la main, dans un champ de fleurs jaunes. Que Sandrine ne sache pas jouer de la guitare ne choquait personne d'autre que moi. « C'est une pochette de disque, pas un curriculum vitæ », m'avait-on dit. De façon théâtrale, j'ai posé les quatre copies CD de ma chanson pop – prochain tube de l'été en France – sur le bureau. Je n'ai eu droit qu'à un signe de tête reconnaissant de Fred, qui a rangé les CD dans sa valise métallique.

Les nouvelles étaient bonnes : Manu avait accepté un cachet pour sa participation à l'album et se retirait du projet. Les premières critiques étaient favorables. La France attendait Sandrine. Tout allait bien, donc.

L'avais-je déjà trouvée aussi belle? Trois jours sans la voir et sa présence me laissait les mains moites et le cœur en déroute. Pour sa part, elle m'ignorait. Nous étions réunis pour parler affaire, elle parlait affaire. Sans orgueil, j'aurais hurlé mon amour pour elle dans tout le bureau, en arrachant ma chemise, et je me serais roulé à ses pieds en braillant. Mais je me taisais.

Le calendrier affiché au mur avec les dates d'entrevues et de spectacles en France, quoique bien rempli, retenait à peine mon attention. J'ai observé Laurie, qui semblait nerveuse et décontenancée, comme si elle avait un secret à nous révéler mais qu'elle n'osait pas. Fred avait remarqué aussi. Il lui a demandé quel était le problème. Je me suis calé sur mon siège en joignant les mains, détendu malgré tout, curieux d'entendre son histoire; après la désertion de Francis et la crise de Manu, il en aurait fallu beaucoup pour m'étonner.

L'avion. Elle était incapable de prendre l'avion. Aéroacrophobie, qu'ils appellent ça. Et elle était claustrophobe, aussi, avouait-elle. Laurie faisait de l'escalade, du vélo de montagne, du rafting, du deltaplane, j'étais certain qu'elle pourrait faucher une panthère avec rien d'autre qu'une lime à ongles, sans sourciller. Cette Laurie-là refusait de prendre l'avion. Lombard s'est énervé. Il s'est défoulé sur Fred : « Tu vois ce qui arrive quand on signe des groupes ? Je le savais, c'est toujours le bordel. Claviériste peureux, batteur junkie et maniaco-dépressif, bassiste claustro, ils sont tous dingues dans ton foutu groupe ! J'ai accepté de travailler avec eux juste pour éviter que Sandrine nous file entre les doigts, viens pas me dire que j'avais pas raison ! » Il a regardé Laurie : « On te rappellera pour les spectacles au Québec. Pour l'instant, on s'en va en France. À bientôt. » Il y a eu un instant de confusion avant que Laurie réalise qu'elle devait s'en aller. Fred s'est tourné vers moi, déstabilisé, et m'a questionné de manière ironique.

— Puis toi, Alex, tu restes avec nous, oui ?

Je me suis levé et j'ai dit non. Lombard rêvait d'une chanteuse solo, il venait de s'en dénicher une. Sans attendre les réactions, j'ai ramassé mon sac et j'ai demandé à Sandrine si elle rentrait à la maison bientôt. Elle m'a lancé un regard triste et amer, disant qu'elle avait besoin de quelques jours encore pour y penser. Fred m'a rejoint à l'ascenseur et m'a glissé un numéro de téléphone sur un bout de papier. « C'est le numéro de Manu au Saguenay, chez ses parents. Tu devrais l'appeler avant qu'il entre en désintox. » L'appeler, oui. J'avais plutôt envie d'aller le rejoindre, et qu'on croque ensemble des Paxil devant la télé.

Avant que la porte de l'ascenseur se referme, je lui ai serré la main et je l'ai remercié pour tout ce qu'il avait fait pour moi pendant toutes ces années. Une manière polie de lui dire qu'il n'était plus mon imprésario.

☆ ☆ ☆

Dormir, vraiment, c'est tout ce que je voulais. Même si j'ignorais encore à quel moment elle comptait revenir, j'espérais l'accueillir reposé. Cette dispute se réglerait vite, pour peu qu'on discute sans animosité ; après tout, c'est elle qui m'avait appris à parler plutôt que de bouder au moment des inévitables conflits. Lombard m'avait fait comprendre qu'il était préférable qu'elle démarre sa carrière en solo plutôt qu'en groupe, certes, mais je n'allais pas l'abandonner pour autant. Je voulais être là pour elle, chaque fois qu'elle en aurait besoin. J'avais peur et je voulais comprendre pourquoi je risquais de la perdre.

Donc, n'avais-je pas le droit de dormir même s'il n'était que vingt heures trente ? Je suis descendu chez la voisine et j'ai frappé de grands coups sur sa porte. Elle m'a ouvert, hésitant entre la panique et l'infarctus.

— Pouvez-vous baisser le volume de vos maudits films de cul ?

En s'éloignant à reculons, elle a semblé opter pour l'infarctus. Le téléviseur n'était pas allumé, mais je n'allais pas me laisser berner aussi facilement : je suis entré sans me gêner et j'ai posé une main dessus. Pas chaud du tout. Même pas tiède. La vieille sœur défroquée fouillait dans un placard. Elle s'est approchée à petits pas avec un bâton de baseball, un solide Louisville Slugger en aluminium qu'elle gardait sans doute pour les cinglés dans mon genre. Les arabesques hypnotisantes que décrivait le bâton m'ont inquiété : la dame avait le coude souple des frappeurs étoiles. Son arme sifflait dans l'air à quelques pas de moi alors que je me dirigeais vers la porte, les bras levés, en bafouillant des excuses, c'est un malentendu, une terrible méprise, une erreur dans ma médication, désolé désolé désolé. Le bâton a tournoyé dans les airs puis s'est arrêté à quelques millimètres de ma mâchoire. « Débarrasse, le malade. Sinon j'appelle la police. »

Je me suis excusé encore et je suis remonté chez moi, aussi vite que le permettaient mes jambes molles.

J'ai fouillé dans les armoires à la recherche des tisanes de Sandrine. Je n'avais jamais bu de ses potions, mais je cherchais quelque chose qui pourrait me calmer les nerfs et diminuer ce tremblement dans mes jambes. J'ai choisi un peu au hasard, orange-camomille-carambole, et j'ai arpenté le salon dans tous les sens en attendant que ça refroidisse. La voisine d'en face, fidèle à son habitude, était nue. Ses petits seins tentaient quelques ballottements alors qu'elle faisait une danse lascive devant son miroir. Elle les a pris dans ses mains, les a caressés, a glissé quelques doigts dans sa bouche pour s'en masser ensuite les mamelons, en se trémoussant le bassin au son d'une musique que je n'entendais pas. Une main a filé entre ses jambes. J'avais la queue gorgée de sang, mes jambes ont ramolli à nouveau. Ma vie de monogame m'exposait à d'intolérables supplices.

J'ai redescendu l'escalier, en ajustant ma braguette pour dissimiler cette érection qui semblait faire deux fois la taille habituelle. Et personne pour en profiter. J'ai sonné chez l'Asiatique, elle m'a ouvert après quelques secondes, le temps d'enfiler un bout de vêtement transparent, moulant, qui la rendait encore plus désirable que si elle était nue. Ses doigts étaient encore luisants de cyprine et de salive.

— Tu pourrais pas mettre des rideaux jusqu'en haut de tes fenêtres ? J'habite au deuxième, de l'autre côté, puis je te vois toujours à poil !

Son regard s'est porté vers l'érection qui m'affligeait. Elle a souri et m'a lancé un regard pas innocent du tout. Je crois bien avoir entendu « Je peux t'aider à soulager ça, si tu veux » ou une autre réplique du même genre, qui semblait extraite d'un film porno. J'ai préféré oublier ce moment. J'ai fermé les yeux et j'ai pensé très fort à Sandrine. En les ouvrant, j'ai vu qu'elle fixait toujours mon jeans en léchant ses petites lèvres de vicieuse. J'ai refermé sa porte et je suis remonté chez moi en m'appuyant sur les murs, les jambes de plus en plus molles. Du salon, j'ai regardé chez elle. Un énorme pénis en caoutchouc à la main, elle m'envoyait le majeur en riant. Un cas de possession démoniaque, très certainement. Les monogames sont sans cesse tourmentés par le mal. J'ai fermé fenêtres et rideaux.

Ma tasse était moins chaude. J'ai pris une gorgée de tisane, que j'ai recrachée en grimaçant. Le goût était identique à la pommade anti-hémorroïdes que mon frère aimait mettre sur ma brosse à dents. J'ai bu d'autres liquides pour tenter de chasser le goût, la tequila faisait l'affaire. Beaucoup plus efficace aussi pour diminuer les tremblements.

J'ai constaté que le bruit de fond venu d'un film pornographique fantôme avait disparu et, satisfait, je me suis laissé glisser vers le sommeil, les doigts serrés autour d'une bouteille de tequila vide. J'ai mal dormi ; l'absence de Sandrine était un bourdonnement ininterrompu qui m'emplissait les oreilles. Je me suis réveillé à deux heures du matin avec une forte envie de vomir. J'ai respiré lentement pour que la pièce cesse de tourner. Je ne me suis pas rendormi.

Quand on me le demande, je dis que je vais bien.

☆ ☆ ☆

Haleine d'alcool, étourdissements et maux de tête, j'ai à peine pris le temps de zipper mon jeans et de vérifier si je ne m'étais pas vomi dessus pendant la nuit en parcourant le long corridor. Je savais que c'était Sandrine, l'amour de ma vie revenait enfin, alors j'ai souri en ouvrant la porte et cligné des yeux dans la lumière qui me chauffait les globes oculaires. Je me suis gratté la barbe de huit neuf dix jours – peut-être avais-je des poux, aussi, tant qu'à n'être plus qu'une loque humaine –, mon tendre petit papa chéri adoré se trouvait là. Je ne me souvenais pas de lui avoir un jour donné mon adresse.

— On va prendre un café.

Cette vision cauchemardesque avait au moins le mérite de me faire une offre intéressante. Je me suis habillé pendant que mon père observait l'appartement sans y entrer. Sa réserve autant que sa curiosité m'étonnaient. Je l'ai emmené en face, au café Vernazza. J'ai demandé à Mattéo mon habituel espresso allongé avec du lait chaud, je le soupçonnais de faire exprès de ne jamais se souvenir de ce que je prenais, rien que pour éviter que je me sente trop chez moi sur son territoire. Mon père a demandé un café. «Un vrai café, là, dans une grosse tasse, pas une niaiserie avec juste deux gorgées.»
En regardant Mattéo retourner au bar, il s'est penché pour me dire: «Ouais, tu m'amènes dans des belles places de tapettes italiennes, toi!» Il disait ça sans animosité, en souriant: «Il te fixe depuis tantôt. Je pense qu'il te veut dans ses culottes!» J'allais lui dire qu'il se trompait, que chaque fois que j'entrais ici avec Sandrine, il avait l'air jaloux… Je l'ai épié un moment, il m'a vu et m'a lancé un clin d'œil. Ce n'était

donc pas moi que Mattéo enviait, mais Sandrine. J'ai secoué la tête en essayant de comprendre depuis quand mon père avait le sens de l'observation. Et, puisqu'il ne semblait pas pressé de m'en parler, j'ai demandé en quel honneur j'avais droit à sa visite. Il a haussé les épaules, rien en particulier, disait-il. « Avec Sandrine, c'est réglé ? »

J'étais estomaqué qu'il se souvienne de son nom. J'ai tenté d'abandonner mon sourire ironique et ma mauvaise foi, mais j'avais du mal à m'en défaire : « T'es pas en train de t'inquiéter pour moi, là ? C'est ça qui se passe, là, hein ? Est-ce qu'on serait en train d'avoir une discussion ? de parler pour vrai ? »

Il a continué sans me reprocher mon cynisme : « Je me réveille toutes les nuits avec l'envie de parler. Avant, c'était à ta mère. J'avais tout un tas de belles choses à lui dire, des affaires qui l'auraient peut-être fait rester, mais je me fermais la gueule. Je sais même pas pourquoi. Avec ton grand-père, c'est pareil. C'est lui qui m'a montré tout ce que je sais, puis il est mort avant que je sache comment lui dire merci. J'étais fier de lui en maudit, mais il l'a jamais su. On apprend pas toujours de nos erreurs, ça a l'air. »

Je n'avais pas encore touché à mon café. Mon père se réchauffait les mains sur le sien. Il m'exposait sa fragilité, tout d'un coup, et moi, j'ignorais quoi faire avec ça. « Depuis que ta mère est partie, j'ai toujours froid aux mains. » Il regardait sa tasse alors que je retenais mes larmes. J'ai respiré un bon coup avant de pouvoir le regarder dans les yeux. « Grand-p'pa savait que t'étais fier de lui. Et il était fier de toi. » Je lui ai raconté l'épisode où son père m'avait traîné hors de mon appartement, un samedi matin, pour me permettre d'admirer le plus bel aménagement paysager de tout Laval. Il m'a regardé avec un sourire en coin, étonné de l'attitude de son père, et a préféré changer de sujet : « Tu sais, avec ta blonde, fais attention. Ta mère et moi, on a détruit notre relation à cause de niaiseries, juste parce qu'on parlait pas assez. Tu peux pas imaginer comment elle me manque. J'ai jamais été capable d'en aimer une autre, probablement pour me punir ; la seule femme que j'ai vraiment aimée, je l'ai laissée partir. » Son sourire contenait toute la souffrance et le vide qui l'habitaient depuis le départ de ma mère. Elle me manquait aussi. J'ai regardé Mattéo reprendre nos tasses vides et je n'ai pas pu m'empêcher : « Comme ça, t'es gay, toi ? » Il a haussé les épaules. « Franchement, ça se voit pas assez ? » Mon père et moi avons éclaté d'un fou rire qui a duré quelques minutes, une bonne manière de laisser couler nos larmes de façon virile.

En rentrant chez moi, je ne pensais qu'à prendre une douche. Je n'ai pas remarqué tout de suite le paquet qui traînait au milieu du corridor, j'ai même failli me cogner dessus. Une grosse boîte enveloppée dans du papier de Noël rouge et doré. J'ai crié son nom si fort que ma voix s'est cassée en deux. J'ai recommencé, une fois dans chaque pièce. Ensuite, je me suis mis à sacrer. Tous les sacres que je connaissais, plusieurs fois de suite. Je refusais de croire qu'elle était passée dans l'appartement alors que j'étais assis juste en face, qu'il m'aurait suffi de tourner la tête au bon moment pour la voir entrer ou sortir de l'appartement. Après avoir fouillé jusque dans le panier à linge sale, j'ai compris que j'étais seul. J'ai lu la carte, minuscule, rien qu'un bout de carton avec du houx sur fond doré d'un côté et, de l'autre, deux mots écrits de sa main : « Bonne fête. »
J'espérais qu'il n'y avait pas à l'intérieur de cette boîte ce que je soupçonnais que j'allais y trouver. Je me suis préparé un verre, tequila, triple sec, Perrier, lime et glaçons, que j'ai bu sans hâte, assis en tailleur devant le cadeau.
Lentement, je l'ai déballé. Je me suis mis à trembler, les yeux embrumés, alors que je soulevais ma lampe chimpanzé. Lorsqu'elle m'avait enfin avoué s'en être débarrassée en

l'offrant à la secrétaire de Lombard, elle m'avait dit : « Habiter avec toi, oui, mais avec cette horreur-là, jamais. Si un jour tu revois cette chose dans l'appartement, c'est parce que moi, je serai partie. »

Je me suis levé pour mieux prendre mon élan et j'ai visé la reproduction du *Baiser* de Klimt qu'elle aimait tant. L'explosion et les dégâts, bien que spectaculaires, n'ont pas su m'apaiser.

Le 8 décembre 1980, Mark David Chapman tire cinq balles de revolver sur John Lennon. Il espère ainsi voler à Lennon un peu de sa célébrité. Après ce meurtre, il pose son arme par terre, s'assoit sur le trottoir et attend l'arrivée des policiers en lisant L'Attrape-Cœurs *de J.D. Salinger.*

9.

Ils étaient tous dans le salon, réunis devant un film de Chuck Norris. Mon père et ma mère chacun à son bout du divan, mon frère toujours trop près de l'écran, assis en tailleur sur le tapis de la même couleur que les crottes de nez qu'il y cachait. Ma mère a posé son photoroman sur l'accoudoir en me voyant arriver, vêtu d'une de ses vieilles robes de spectacle que j'avais coupée de moitié pour éviter de glisser dessus. Elle souriait. Mon père, non.

J'avais répété en cachette toute la journée, je connaissais toutes les paroles par cœur. Devant l'air dégoûté de mon père et l'indifférence habituelle de mon frère, j'ai été tenté d'annuler ma prestation et de retourner dans ma chambre. C'est ce que l'instinct me suggérait de faire, mais l'envie de donner un spectacle était plus forte. Je n'allais pas me décourager simplement parce que mon public n'était pas gagné d'avance : il était temps de montrer l'étendue de mon talent, et qu'on annonce dans tous les médias que le petit Simard avait de la sérieuse concurrence.

J'ai tapé du pied pour me donner le rythme, j'ai levé les bras en l'air en tournant sur moi-même, afin que tous puissent admirer l'éclat des paillettes, puis j'ai chanté : « Je m'appelle Paulette, je suis une tapette de la rue Sanguinette et j'ai décidé de me marier pour devenir vedette… »

Déjà, mon public se manifestait. Mon frère s'est levé d'un bond pour se réfugier dans sa chambre avec son sac de chips, me bousculant au passage dans un gros flash de paillettes mauves. J'ai répété la phrase une seconde fois, puisque je venais d'oublier la suite : « Je m'appelle Paulette, je suis une tapette de la rue Sanguinette et j'ai décidé de me marier pour devenir vedette… »

Mon père s'est approché du téléviseur pour monter le volume. J'avais une larme sur le point de me couler sur la joue, mais je ne me laissais pas abattre. J'ai poursuivi, pour ma mère : « Flouche, flouche, flouche, flouche, flouche, proutt, proutt… » Ça, c'était le refrain. Il fallait le répéter quatre fois avant de reprendre les couplets. Je me suis arrêté bien avant. Mon père me regardait dans les yeux. Je voyais du mépris, de la haine, même. Il a essuyé ses doigts tachés d'orange crotte de fromage sur son pantalon et a bu une longue gorgée de bière sans me lâcher des yeux. Le peu d'assurance qui me restait m'est sorti du corps en sueurs froides.

J'y ai été d'encore quelques *flouche flouche*, puis je me suis tu. Le regard de mon père était comme une main sur ma gorge. Le souffle coupé, j'ai filé dans le corridor vers ma chambre, en braillant comme une tapette. Je ne m'y suis pas rendu. Ma robe était trop longue, j'ai glissé devant ma porte et le mur au bout du corridor a stoppé ma course. La tête la première. Je me suis écroulé, un cadre m'est tombé dessus – un faux Klimt peint par tante Réjeanne –, et mon sang s'est répandu sur le tapis.

J'ai eu droit à douze points de suture sur la tête et quatre sur la langue : beaucoup plus spectaculaire que mon interprétation de Paolo Noël. Dans la voiture, au retour de l'hôpital, j'aurais souhaité expliquer ma démarche artistique, mais le courage m'a manqué. Une chose était sûre : je ne chanterais plus jamais.

Je ne voulais pas devenir tapette, pôpa, je voulais juste devenir vedette.

☆ ☆ ☆

Noël n'était plus que dans un mois : nous avions pris du retard. Mon ami Nicolas avait demandé une voiture télécommandée à ses parents : un modèle récent, rapide, une petite bombe sur quatre roues. Son père lui avait dit : « On va pas te donner une voiture téléguidée, t'en as déjà une, ciboire ! » Réponse pertinente, il est vrai, d'où la raison qui nous réunissait ce matin dans le sous-sol de ses parents : pour avoir une nouvelle voiture, il fallait d'abord détruire l'ancienne. Poupées démembrées, pistes de course saccagées, Lite-Brite fendu en deux, Etch A Sketch aux boutons arrachés, une force implacable s'abattait sur les jouets : les enfants gâtés. La destruction est le moteur de la société de consommation.

Notre plan machiavélique d'élimination était de faire sauter la voiture dans le feu de foyer, laissé sans surveillance. Il suffisait de la faire rouler sur une passerelle formée de pochettes de 33-tours jusque sur une table basse, où une dernière pochette habilement disposée lui donnerait l'élan nécessaire pour atterrir dans les braises. Je donnais à Nicolas le matériel nécessaire à la rampe de lancement et lui s'occupait de la mise en place.

— Tabarnak !

C'est tout ce que j'ai trouvé à dire en voyant le disque. Nicolas s'est penché pour voir ce qui captait mon attention, il a gloussé avec l'air de quelqu'un qui connaissait déjà tous les détails de l'objet. Sur la pochette du disque *Abraxas* de Santana, deux femmes nues sur fond psychédélique. Des paires de seins gros comme ceux de la sœur de Nicolas, que j'espérais bien voir un jour.

J'ai sorti le 33-tours et je l'ai posé sur le *pick-up*. Tant qu'à bander sur les boules des deux guidounes, me disais-je, aussi bien écouter le disque en même temps.

Il y avait ce délire de guitare électrique, une mélodie qui flottait au-dessus du piano et de la batterie, c'était à la fois bizarre et hypnotisant. Je me suis emparé d'une raquette de tennis et, en sautant le plus haut possible sur le divan-lit avec mes bottes pleines de calcium, je jouais les guitaristes. J'étais rendu à genoux par terre, ma guitare entre les jambes, les yeux fermés, quand m'est venue aux narines l'odeur de plastique brûlé. J'ai interrompu mon solo pour me rapprocher du spectacle de la voiture dans le feu de foyer. Les roues étaient en flammes et la carrosserie se dégonflait comme un ballon, aspirée vers l'intérieur. Ça sentait de plus en plus mauvais, et une épaisse fumée grise nous empêchait de tout voir. C'est à ce moment que je me suis dit que ça allait mal finir. De fait, le père de Nicolas a descendu l'escalier à toute allure, en couvrant la musique de son épeurante voix de ténor :

— Tabarnak !

Il s'est mis à hurler que les piles allaient nous péter dans la face, câlisse, de nous tasser de là, ciboire, qu'est-ce que vous foutez, sacrament ; il s'est servi de ma guitare, redevenue dans ses mains rien de plus qu'une raquette de tennis, pour ramasser ce qui restait de la voiture en se protégeant le visage.

Nicolas a eu droit à une solide claque derrière la tête et, surpris, s'est exclamé :

— Tabarnak !

Ce qui lui a valu une deuxième claque. J'ai monté l'escalier sans attendre ma part et j'ai filé en saluant la mère de Nicolas au passage.

Deux jours plus tard, en passant par là, j'ai remarqué la raquette qui dépassait de leur poubelle, avec, coincée dans son cordage, un machin tordu et roussi – ce qui restait de la voiture. J'ai pris ma guitare et je l'ai rapportée chez moi. Nicolas n'a rien eu pour Noël.

☆ ☆ ☆

— Sors de là ! Ça rend sourd !

C'était mon frère – toujours aussi agréable – qui cognait à la porte de la salle de bain en gueulant. Je doutais fort qu'imiter Elvis devant le miroir puisse me rendre sourd d'une quelconque façon. J'ai baissé le col de ma chemise, j'ai reboutonné les deux boutons du haut et je lui ai cédé ma place en lui montrant le majeur. Mon père nous attendait dans la cuisine.

— Awèye, déguédine ! Ton frère, qu'est-ce qu'y niaise ?
— Je pense qu'il se crosse aux toilettes.

Chaque samedi, sur les ordres de ma mère, nous devions accompagner mon père qui partait faire l'épicerie chez

Steinberg. Elle appelait ça «passer du temps de qualité en famille» sauf qu'elle, pendant ce temps, filait chez sa coiffeuse avec une de ses amies. Nous nous battions, Michel et moi, pour nous asseoir à l'avant de la voiture, signe de prestige inutile, puisqu'il n'y avait même pas moyen de jouer avec les boutons de la radio; mon père écoutait chaque semaine *Les Insolences d'un téléphone* avec Tex Lecor.

Sale journée: mon *Pif Gadget* n'était pas encore arrivé au kiosque à journaux et c'était la semaine de la visite chez le barbier. J'ai dû attendre mon tour en n'ayant rien d'autre à faire qu'améliorer mon vocabulaire avec quelques *Reader's Digest* froissés. Un barbier bigleux s'est avancé pour demander qui était le suivant. Michel et moi sommes restés silencieux, effrayés à l'idée d'être sa prochaine victime. Mon père a pointé la main dans ma direction. Croire que les parents n'ont pas un enfant préféré parmi leur progéniture est une erreur. Il y a tant de petits gestes comme celui-là qui disent la vérité, qui vous font comprendre que vous êtes le fils de votre mère et que votre frère est le fier descendant de son père, celui qui prendra très certainement la relève dans l'entreprise familiale. Qu'ils mangent de la marde, me suis-je dit. Je me suis assis sur la chaise du barbier en me faisant croire que j'étais Bob Morane, traîné de force par les soldats de l'Ombre jaune sur une chaise électrique: j'allais me sortir de ce guêpier, d'une façon ou d'une autre.

Je m'en suis sorti, oui, vingt minutes plus tard, avec une coupe asymétrique, heureux qu'il ne m'ait pas tranché les oreilles. En partant, nous avons croisé le pianiste, celui avec qui ma mère passait des journées de plus en plus longues à peaufiner son répertoire de chansons jazz. L'homme responsable des soupirs rêveurs de ma mère et des crises de jalousie de mon père. Il sortait de chez Laura Secord, avec l'air idiot qu'ont tous les adultes quand ils lèchent un cornet de crème glacée. Il aurait dû être terrifié, mais non ; sans doute que ma mère ne lui avait jamais parlé de l'ambiance tendue qui régnait à la maison. Il s'est avancé sans méfiance et a tendu la main à mon père, qui n'a pas tendu la sienne.

— C'est quoi votre nom, déjà ?

— Nick.

Nick n'a pas eu le temps de voir arriver le coup. Il s'est pris un poing en plein visage et s'est retrouvé le cul par terre. Il tenait encore son cornet, maintenant sans boules. Mon père s'est penché et a murmuré une phrase que je n'ai pas entendue. Certainement une menace, j'avais cru saisir les mots « ma femme » et « je te tue ». Nous sommes entrés chez Steinberg comme si rien ne s'était passé. Michel avait les yeux brillants d'admiration pour son père. Moi, je me demandais ce que je faisais dans cette famille de cinglés.

J'ai trouvé la guitare électrique de Michel dans le fouillis du sous-sol alors que je cherchais une chambre à air pour mon vélo. Il l'avait eue à l'anniversaire de ses quinze ans. Mon père s'était opposé à l'idée, mais ma mère avait insisté, ça pourrait éveiller son imagination, qu'elle disait. Il s'en était servi quelques mois, peu intéressé, puis était retourné à la pratique des sports, ce qui collait beaucoup mieux à son tempérament de brute épaisse désireuse de prouver sa force et d'effrayer les faibles, tout cela étant difficilement réalisable en jouant de la guitare. Il me l'a vendue pour dix dollars et congé de vaisselle pour un mois.

Il n'y restait que quatre cordes, mais ça me suffisait pour l'instant. J'ai branché la guitare dans l'amplificateur et j'ai ouvert une méthode de guitare, au hasard. À la fin de la journée, je savais jouer « Peter Gunn ».

Ce soir-là, j'ai donné mon premier concert devant ma mère : « Peter Gunn », pendant dix minutes. Je l'ai assurée que je pourrais bientôt l'accompagner en concert, j'apprendrais à jouer les standards de jazz qu'elle aime tant chanter et nous allions devenir célèbres. Elle n'a rien répondu mais, le lendemain, elle m'a acheté des cordes de guitare, que nous avons posées à l'envers afin que je puisse jouer gaucher. C'était sans doute sa façon de me dire qu'elle était d'accord. Je voyais déjà les affiches à l'entrée des salles de spectacles des bateaux de croisières, moi en smoking, perché sur un tabouret, fine moustache et cigarette au bec, cheveux lissés vers l'arrière avec quelques mèches me tombant sur l'œil, d'une élégance nonchalante, et elle, superbe dans sa robe de soirée, alors qu'elle séduirait les vieux riches de sa voix rauque et sensuelle, écorchée par l'alcool, la cigarette et les insultes criées à mon père. Je souriais rien qu'à penser à toutes ces filles de milliardaires que je ferais danser, tard dans la nuit, et qui pleureraient de devoir me quitter à la fin du voyage.

Je rentrais à la maison beaucoup plus tard qu'à l'habitude. Je pédalais à peine sur mon vélo, je préférais laisser le vent d'orage me porter le long des rues sans trottoirs. J'avais passé la soirée à discuter avec Daniel et Nicolas de la guerre atomique qui se préparait. Nous avions regardé le film *The Day After* plus tôt dans la semaine et nous étions unanimes : ça

allait péter bientôt. Le bruit des avions, le grondement sourd
du camion à ordures, un système d'alarme de voiture, tout
bruit anormal nous laissait croire que ça y était. Plutôt que de
me terroriser, l'imminente fin du monde m'apportait un certain soulagement. Tout était vain. Ces terrains aménagés par
mon père, ces tours bondées de travailleurs, ces centres commerciaux clinquants, tout serait détruit. Inutile de tomber
amoureux, de fonder une famille, de ramasser de l'argent ou
de faire son lit. Il ne m'importait même plus de tenter de
séduire Isabelle Proulx, Céline Roy ou Nathalie Rouleau :
même ces filles, les plus jolies de la polyvalente, allaient crever.
Tout le monde allait crever. Les rares survivants se taperaient
dessus à coups de bâton pour un peu d'eau contaminée, pour
quelques aliments irradiés qui retarderaient leur mort. Je
voyais les étoiles pour la dernière fois, c'était mon dernier sac
de chips Yum-Yum dévorées en cachette, ma dernière gorgée
de Quick aux fraises. Quelquefois, dans un optimisme naïf,
j'aimais croire que ma mère et moi serions saufs, en pleine
mer sur un bateau de croisières, loin des côtes. Elle chanterait
« Summertime » pendant que les bombes dévasteraient l'Amérique. Je n'avais pas parlé de cette éventualité avec Daniel et
Nicolas. Ensemble, nous préférions nous imaginer exilés
sur une île déserte épargnée de la destruction en compagnie
d'Isabelle, de Céline, de Nathalie, ainsi qu'avec Nathalie Fagnan,
Heidi Fronmueller, Vivianne Donatelli et Marie-Ève Ouellette ;
nous n'avions pu nous résoudre à n'en sauver que trois.

Je suis arrivé à la maison juste à temps pour voir ma mère
sortir de la voiture du pianiste, leurs bouches toujours sou-
dées l'une à l'autre alors qu'elle s'extirpait de son siège en
remontant la fermeture-éclair de sa robe. Ce Nick était sui-
cidaire, mais j'ai admiré son courage : ce bonhomme-là
n'attendait pas assis à ne rien faire que la fusion atomique le
désintègre et fasse exploser ses yeux.

J'ai fait celui qui n'avait rien vu. Ma mère a fait celle qui n'avait pas vu que j'avais tout vu. Nick n'a rien vu.

☆ ☆ ☆

Un autre samedi qui n'allait pas comme d'habitude. Il était près de midi et je jouais encore à Pitfall sur mon Intellivision, étourdi par une ingestion massive de Frosty Sugar Marshmallow Cocoa Power Snaps. Mon père faisait maintenant l'épicerie seul. Pas de barbier ce mois-ci : mon frère et moi avions les cheveux trop longs, mais nos parents ne le remarquaient plus.

Michel m'a rejoint dans le sous-sol pour avoir mon avis sur la situation. Son inquiétude me troublait. Et, puisqu'il avait développé l'habitude de se boucher les oreilles et de chanter à tue-tête dès que je m'ouvrais la bouche, qu'il me demande mon opinion me troublait tout autant.

J'avais bien constaté certaines bizarreries : mes échecs scolaires n'intéressaient plus personne, les appels de l'école pour mon manque de discipline n'avaient pas de suite, nous mangions des repas plus qu'ordinaires et la salle de bain mal lavée sentait l'urine. J'avais jusque-là profité de la liberté qu'apportait leur indifférence sans me poser de questions.

Michel s'est assis sur un accoudoir du divan et m'a regardé d'un œil protecteur en me donnant un petit coup de coude sur l'épaule. De la gentillesse venant de mon frère : maintenant, j'étais inquiet pour vrai. J'ai baissé le volume de mon jeu, la musique guillerette ne convenait pas du tout à la lourdeur de la situation. Il m'a raconté ce qu'il avait vu d'anormal, tandis que je me repassais en mémoire les silences pesants à table, les absences fréquentes de ma mère, les regards tristes qu'elle posait parfois sur nous. Michel avait surpris quelques engueulades entre nos parents, principalement au sujet des répétitions de chant de ma mère. Elle se fâchait et criait que c'était important pour elle, que c'était un de ses rêves qui prenait forme, alors que mon père répliquait qu'il rapportait suffisamment d'argent à la maison et que c'était l'insulter que de vouloir travailler, ne serait-ce qu'en voulant chanter du jazz dans les bars.

La quantité d'informations qu'on pouvait recueillir en se collant l'oreille aux portes de chambres m'étonnait.

— Ça va s'arranger.

Je n'avais que ça pour le réconforter. Il s'est rongé un ongle. La porte en haut de l'escalier s'est ouverte et mon frère, par réflexe, a enlevé ses pieds de sur les coussins. Ma mère est descendue. Elle avait les yeux rouges et bouffis, les cheveux dépeignés, elle était vêtue d'une robe de chambre alors qu'à cette heure, d'habitude, elle est habillée et coiffée depuis longtemps. « Il faut que je vous parle. » Nous attendions en silence, les mains posées sur les genoux. Elle s'est mise à pleurer. Je me suis mis à pleurer aussi ; je ne savais pas encore pourquoi, mais ça avait l'air d'en valoir la peine.

☆ ☆ ☆

Un samedi, encore. Michel ne bougeait pas du salon, planté à côté de mon père, assis sur le divan, qui observait la scène par la fenêtre. J'étais avec ma mère, sous l'orage, à la regarder jeter ses sacs dans le coffre d'un taxi. Je tremblais de froid, de peur, je ne savais plus si je devais l'aider ou m'accrocher à sa taille pour tenter de la retenir. M'emmener avec elle ne faisait pas partie de ses plans. Elle a poussé pour faire entrer le dernier sac et, voyant que le coffre était plein, m'a donné la lampe qu'elle avait à la main. « Un souvenir ! » qu'elle m'a dit en tentant d'être candide. « Pour que tu penses à moi ! » J'avais toujours détesté cette lampe chimpanzé, déchet rapporté de son voyage de noces aux Bahamas. Elle m'a pris dans ses bras et m'a promis qu'elle viendrait souvent nous rendre visite. Je ne l'ai pas crue. Elle serrait mes mains dans les siennes et s'apprêtait à me dire quelque chose d'important. J'ai ouvert grand les yeux, prêt à accueillir les sages conseils de ma mère.

— Rase-toi la moustache, par pitié.

Elle m'a étreint une dernière fois et le taxi m'a laissé là, seul sous l'orage, dans un petit nuage de fumée bleue, une lampe affreuse à la main. J'avais les membres trop longs, une moustache molle comme une chenille, des boutons d'acné, je me sentais laid. J'étais laid. Et c'est ce moment qu'a choisi ma mère pour fuir avec son pianiste, me laissant entre les griffes d'une famille de paysagistes simples d'esprit. Je suis rentré, je suis passé devant mon père et mon frère sans les regarder, et j'ai été m'enfermer dans ma chambre avec ma guitare. Rien d'autre à faire qu'écrire des chansons en attendant la guerre nucléaire. J'espérais mourir vite et sans douleur.

☆ ☆ ☆

10.

J'étais à l'étape de faire mousser le lait pour mon café, ça sonnait à la porte et je tentais de repérer la station de radio où Sandrine donnait une entrevue dans les prochaines minutes. Un livreur d'électroménagers attendait en bas de l'escalier, je lui ai dit que je n'avais rien commandé. Il insistait. C'était la bonne adresse, c'était à mon attention, et c'était déjà payé. Je l'ai laissé monter. J'ai fait monter mon lait en mousse. J'ai monté le volume de la radio.

Deux hommes, Laurel et Hardy, ont déposé une énorme boîte dans la cuisine, ont déballé l'engin et, chose étonnante, ont tout installé. « C'est les directives qu'on a reçues. Il paraît que vous êtes pas très bon pour manier les objets lourds. » C'était un lave-vaisselle avec un logo de BMW collé dessus, bien en évidence. Le petit m'a fait signer le bon de livraison tandis que le gros, pétri d'admiration, bavait devant l'affiche de Sandrine, dans l'entrée. « Est bonne, hein ? Pis est-tu assez bandante ! »

Je les ai mis à la porte pour écouter l'entrevue. Ils sont partis en argumentant sur «quel orifice de son joli petit corps ils aimeraient le mieux fourrer».

— Le premier extrait est sur toutes les lèvres, les médias n'en ont plus que pour elle, c'est sans contredit l'album surprise de la saison. Nous recevons ce matin la pétillante Sandrine, venue nous parler de son premier disque. Sandrine, bonjour!

— Salut.

— Sandrine, tu dois être surprise de ce succès instantané?

— Instantané? Je sors quand même pas de nulle part: je chante et je joue du piano depuis que j'ai dix ans, je compose des chansons depuis toujours, et l'équipe qui m'entoure est formidable! Disons plutôt que les efforts mis sur l'album ont porté fruits.

— Oui. Euh… Je sais que tu pars bientôt pour la France, où l'album monte dans les palmarès. As-tu peur de sauter des étapes, pourquoi ne pas attendre d'être solidement établie au Québec avant de traverser l'océan?

— À vrai dire, c'est plutôt étonnant que l'album marche au Québec. Tout le monde ici écoute les mêmes vieilles chansons depuis trente ans, maintenant chantées par des jeunes qui veulent plaire aux mononcles puis aux matantes.

— Aouch! Il reste que ton album est pop, non? Malgré l'efficacité des chansons, y a pas de quoi révolutionner l'industrie musicale!

— J'interprète des chansons originales, c'est déjà pas pire! T'as lu mes textes, au moins? J'suis sûre que t'en comprends pas la moitié.

— …

— Tu veux une gorgée d'eau?

Dans tous les médias, son image de rebelle était consacrée. Elle crachait son fiel sur tout ce que le Québec a de vedettes aseptisées, malgré l'ampleur de la tâche. Elle abordait les entrevues comme d'autres montent sur un ring: déplacements rapides, attaques surprises, coups imparables. Les journalistes, même les plus aguerris, s'ils ne se rangeaient pas de son côté, se faisaient broyer les os. Fred était sans cesse nerveux, convaincu que bon, cette fois ça y était, elle allait se faire démolir. Mais non. Il lui avait suggéré de modérer ses propos, mais Lombard s'y était opposé; il trouvait ça amusant, surtout parce que c'était payant. Dès qu'il en avait l'occasion, il me soulignait que la seule bonne façon de vendre Sandrine était de lui laisser toute la place et non de la cacher dans un groupe. Je lui ai donné raison.

Sandrine était la réponse à tous ces perdants sympathiques qu'on voyait depuis trop longtemps dans les médias. C'était la gagnante baveuse, l'ingénue désarmante, le coup de poing en pleine gueule. Je la regardais devenir une star, en direct à la télé.

J'ai appelé Daniel en tapotant sur mon sac en bandoulière pour m'assurer que j'avais le cadeau, acheté en vitesse chez American Apparel. Je lui ai dit que j'arrivais dès que possible, ajoutant que je voulais parler à Ève.

— Salut, sexy!
— Alex! T'arrives ou quoi?
— Oui oui oui, dis donc, c'est quoi déjà le nom du petit? Il a quel âge?

— Zacharie. T'as déjà été à un autre de ses anni-
versaires?

— Euh… non.

— Ça veut dire qu'il a un an.

Logique. Je me suis jeté devant un taxi en fermant mon
cellulaire. J'ai profité du voyage pour écrire; je cherchais
une rime riche pour « engin » qui ne soit pas « vagin ». Je n'ai
trouvé que « frangin », qui sonnait un peu trop français à mon
goût, mais bon, puisque j'écrivais maintenant pour Marie-
Jeanne et qu'elle s'était découvert un accent parisien, ça pouvait coller. La chanson que je lui avais soumise avait emballé
tout le monde, on m'avait engagé pour écrire l'album au
complet. Arrivé à destination, j'avais rayé « engin ». J'en étais
rendu à me battre avec « ébauche », qui ne m'inspirait que
« chevauche » et « débauche ».

Quand je suis entré dans la maison, l'agression a été
immédiate : une étouffante odeur de poudre pour bébé attaquait les muqueuses, Annie Brocoli s'occupait des tympans,
et de petits monstres gavés de sucre ont tenté de grignoter le
bas de mon jeans à deux cents dollars en me bavant dessus.
Ève et Daniel semblaient émus de me voir; nous étions les
seules personnes sans enfants. Martine m'a serré dans
ses bras, le nez enfoui dans ma chemise. Elle a poussé un
« Mmmm » de satisfaction lubrique en pressant ses seins
contre moi; elle et Nicolas n'avaient probablement pas baisé
depuis la naissance du petit machin. Je lui ai caressé une fesse,
juste avant que Nicolas nous rejoigne et m'offre un punch
non alcoolisé. J'ai ouvert mon sac et je lui ai donné la boîte :

— Cadeau pour Jérémie !

— Zacharie.

Oups. Il a déposé la boîte sur une pile de cadeaux enveloppés dans des papiers aux couleurs clinquantes. «Pas eu le temps de l'emballer…» Ma phrase s'est perdue dans le brouhaha. J'ai embrassé Ève et je lui ai demandé lequel était Zacharie. Elle m'en a désigné un, j'allais tenter de me souvenir de lui grâce à son chandail rouge.

— Mauvaise idée, Alex. À cet âge-là, il faut les changer de vêtements dix fois par jour.

De fait, celui en rouge venait de régurgiter un truc plutôt dégueulasse sur son chandail. «Fais-lui une croix sur la tête avec un crayon feutre.» J'ai trouvé l'idée plutôt bonne. Je lui ai aussi demandé de m'aiguiller vers les mères monoparentales; je ne connaissais personne. Elle m'en a indiqué deux, une encore en dépression et l'autre qui semblait s'en sortir plutôt bien. «C'est plate, ici, non?» Nous avons ramassé Daniel au passage, la monoparentale la moins déglinguée et un ouvre-bouteille, direction la cave à vin, faisant tout de même l'effort de nous présenter aux gens croisés en chemin. Je parlais de l'album de Sandrine, personne n'en avait entendu parler. Les yeux sortis des orbites, le souffle court, toujours à courir derrière leurs rejetons respectifs, ils n'étaient plus au courant de rien d'autre que de l'odeur, de la couleur et de la texture des déjections au fond des couches de leur descendance. Tout de même, j'étais touché que d'autres que moi se sacrifient pour peupler le Québec; je me sentais moins coupable d'envisager la vasectomie. Nous avons atteint la porte du sous-sol, j'ai dû retourner en arrière pour retrouver la monoparentale sexy qui s'était perdue en chemin.

Nous avons trinqué à même une bouteille, choisie au hasard, en fomentant déjà nos projets d'évasion. Nicolas nous a vite trouvés. Il n'a rien dit au sujet de la bouteille, mis à part qu'elle valait beaucoup d'argent. Il m'a regardé d'un air perplexe en montrant à Daniel et à Ève les vêtements que j'avais achetés pour le petit, pendant que la monoparentale profitait de la diversion et s'échappait pour aller voir ce que son marmot avait mangé ou chié ou vomi. Ils ont ri à en pleurer, ça s'en tapait sur les cuisses, ça s'essuyait les larmes, ça recommençait. Je ne comprenais pas pourquoi. C'est Nicolas qui a repris son souffle le premier. « Alex, t'as acheté des chandails pour chien. »

Leur crise de larmes a repris. Oui, effectivement, si j'y regardais à deux fois, ces chandails n'avaient pas l'air très confortables. Ils m'ont pardonné ; on excuse toujours les hommes célibataires d'être un peu cons.

Notre cachette ayant été découverte, nous nous sommes éparpillés dans la maison. J'ai retrouvé Nicolas dans la chambre d'enfant, seul, alors qu'il empilait de nouveaux toutous par-dessus les plus anciens. Blancs sur gris. Je lui ai demandé s'il aimait toujours autant sa vie de père. « Oui, c'est cool. J'en voudrais pas un deuxième, mais je suis content. C'est beaucoup de travail, c'est épuisant, mais un enfant, ça te redonne ton amour multiplié par mille, et... » Non, non. Ce n'était pas ce que je voulais savoir. Le désir. Le sexe. Le cul.

— J'ai envie de baiser tout ce qui bouge !

J'ai réfléchi un instant. Je lui ai lancé un sourire de conspirateur et je me suis approché pour lui confier un secret. « Je peux t'arranger ça, mon vieux. Je connais une fille qui a une furieuse envie de baiser elle aussi. Très belle, sexy, un visage d'ange. Une fille adorable mais inconsciente de sa beauté, juste parce qu'elle reçoit pas assez de compliments. » Excité, il voulait savoir son nom. Je l'ai laissé poireauter en m'amusant avec un fascinant toutou qui faisait un bruit de papier froissé quand on lui tripotait les pattes. « Qui qui qui qui qui ? » Il n'en pouvait plus. Je lui ai révélé le nom de la fille avant que ses couilles engorgées n'explosent: «Martine. Regarde ta blonde, mon vieux. Je sais pas ce que t'attends pour te remettre à coucher avec, mais t'es mieux de faire ça vite avant qu'un autre le fasse à ta place.»

J'ai appuyé sur le ventre d'un clown, ce qui a déclenché un rire métallique terrifiant. Je n'ai réussi à le faire taire qu'en lui fracassant le crâne sur le coin d'un bureau. Je l'ai remis dans la pile des peluches, la tête en moins. Nicolas ne savait plus quoi dire. Daniel est entré, une nouvelle bouteille à la main. Il a bu une longue gorgée, l'œil hagard. Surdose d'enfants: je connais ça. J'ai vite appelé un taxi.

Les trois personnes sans enfants ont quitté les lieux dans un nuage de poussière, sans se retourner, des bouteilles de vin ouvertes à la main. Nous avons demandé au chauffeur de monter le volume lorque Sandrine s'est mise à chanter.

Ce soir-là, Nicolas et Martine ont fait l'amour. Lentement, avec tendresse, en se redécouvrant l'un l'autre. Presque comme à leurs débuts. Ce fut un moment magique, merveilleux, sublime. Et Martine est tombée enceinte d'un deuxième enfant.

☆ ☆ ☆

Nathalie, à supposer qu'elle m'ait donné son vrai nom. Regards insistants alors que je mangeais seul au Petit Alep. Conversation à propos de tout et de rien, sous-entendus de part et d'autre, le temps d'un espresso court et nous sommes allés chez moi. Elle m'a sucé en me regardant dans les yeux, puis elle a insisté pour que je lui jouisse sur le ventre en la traitant de cochonne. J'ai fait tout ce qu'elle demandait, ça me changeait les idées : j'avais surtout besoin d'elle pour me faire oublier Sandrine. Tout de même, j'ai été incapable de l'inviter dans la chambre. J'ai dormi sur le divan, elle a dormi chez elle.

☆ ☆ ☆

Le silence accentuait la solitude qui m'oppressait. Alors je faisais du bruit, pour me calmer. Je tapotais sur les coins de comptoir, je tapais du pied, je claquais des doigts, je chantonnais des gammes et des arpèges, je faisais grincer les portes d'armoires, j'ouvrais le congélateur pour écouter le bruit du moteur, je faisais le lavage pour entendre la machine, je restais dans la salle de bain, parfois toute l'heure où mon linge tournait dans la sécheuse, en écoutant les boutons de mes jeans cogner contre le métal de la cuve, j'allumais la radio, j'ouvrais la télé, j'écrivais des courriels pour entendre le bruit des touches du clavier, je passais l'aspirateur pour ne plus entendre rien d'autre que son moteur, je lisais le journal pour le bruit des pages tournées, je composais des chansons à la guitare, je tapais sur un bongo, je secouais de la monnaie, je me faisais craquer les jointures, j'écoutais les roulettes de ma chaise alors que je me déplaçais, assis, dans tout l'appartement, j'écoutais la circulation dans la rue, les pas des passants, leurs voix, leurs rires, le passage des ambulances, des voitures de police et des camions de pompiers, la goutte qui tombait dans le lavabo, le jet puissant de la douche, le rasoir sur ma peau, mes milliers de pas dans le corridor, le passage des avions, le grésillement des aliments dans la poêle, les averses, les orages, le grondement du tonnerre, les secondes des horloges, les cloches de quelques églises, ma respiration, le claquement de mes dents, les gargouillis de mon ventre, mes ongles grattant ma peau, mes battements de cœur, je m'attardais aux bruits pour mieux supporter son silence.

Je ne pensais plus à rien d'autre : il fallait que je sache pourquoi elle m'avait quitté. Je lui avais envoyé de longs courriels restés sans réponse, et Fred refusait de me donner son numéro de téléphone ou même son adresse. Puis, j'ai reçu une carte postale de La Rochelle. Une gravure ancienne : le port, quelques bateaux, tout en gris et noir. Et la réponse que j'attendais pour essayer de passer enfin à autre chose.

Tu es devenu quelqu'un de qui
je ne tomberais pas amoureuse.
Oublie-moi.

Je l'ai relue quelques dizaines de fois, l'œil humide et la main tremblante. Il me fallait reconnaître que son message était d'une efficacité exemplaire : simple, précis, et ne laissant aucun espoir quant à nos chances de revenir ensemble. Je me suis couché par terre et j'ai fait l'étoile. Je n'avais même plus la force de me trouver quelque chose à démolir.

Une Isabelle, chez elle, avec son chien fétide qui grattait à la porte de la chambre en gémissant. Elle m'a étendu sur le dos et s'est empalée sur moi, je n'ai rien eu à faire d'autre que de bander. Elle a failli me défoncer la cage thoracique avec ses mains en jouissant. Vaginale ou simulatrice, je n'ai pas cherché à savoir. Elle m'a laissé sa culotte en souvenir, avec son numéro de téléphone inscrit dessus au marqueur noir. Je me suis demandé combien de fois elle avait fait ça avant. Je l'ai reniflée, par réflexe, et je l'ai abandonnée dans les toilettes du Barraca, le numéro bien en évidence. J'ai attendu Fred en buvant des mojitos ; il tenait à me remettre en personne mon premier chèque de droits d'auteur pour l'album de Sandrine.

☆ ☆ ☆

J'avais les mains moites en endossant mon chèque. La caissière m'a vouvoyé en me proposant des cartes platine, des REÉR et je ne sais quoi d'autre. Le directeur de la banque a tenu à me serrer la main, disant que si j'avais besoin de conseils pour savoir où investir, de l'appeler sans hésiter. J'ai jeté sa carte et j'ai été m'oxygéner dans un parc, pour réfléchir à tout ce que je pourrais faire avec cet argent.

J'y ai croisé Machin Machin, content de rencontrer quelqu'un qu'il connaissait pour raconter son trop-plein de bonnes nouvelles : un spectacle à venir au Club Soda, un autre sur une scène extérieure aux Francofolies et, surtout, une nouvelle copine. Ils pensaient déjà aller vivre ensemble, c'était son âme sœur, son *alter ego*, la femme de sa vie.

C'est à l'écouter que je me suis rendu compte que j'avais changé. Avant Sandrine, avant ce premier amour, je l'aurais sans doute agressé verbalement en y allant de mon nihilisme cheap : « L'amour est une invention judéo-hollywoodienne et l'âme sœur est un concept de marketing. » Aujourd'hui, je ne pouvais que lui souhaiter bonne chance.

Moi ? Je partais un mois en France dans quelques jours, pour travailler avec Marie-Jeanne, avec plus d'argent dans mon compte que je n'en avais jamais eu. Je ne lui ai pas parlé de ma rupture, et j'ai filé dès que j'ai pu en le laissant seul avec son sourire d'amoureux débile, déçu de n'avoir pas réussi à le rendre jaloux.

L'Asiatique qui habite en face de chez moi. J'ai cogné chez elle sous prétexte de venir m'excuser, et nous sommes vite passés à autre chose. Elle a dansé sur la chanson « Dirt » d'Iggy Pop, en abandonnant ses vêtements un à un. Elle a fait couler un bain et nous a roulé un joint pendant que je la branlais à deux doigts. Je l'ai pénétrée dans une position extravagante, nous avons mis de l'eau partout. J'ai oublié de lui demander son nom en partant. Je ne me souviens même plus d'être parti.

☆ ☆ ☆

Il faut une histoire d'amour, et qu'elle se termine mal: la peine d'amour est le sujet le plus susceptible de toucher l'auditeur de votre chanson. Visez le cœur, jamais la tête. «I'm so lonesome I could cry.» *Trouvez les blessures et mordez dedans. Arrachez les gales, fouillez les tripes. Lorsqu'une personne se mettra à pleurer, incapable de faire autre chose que d'écouter votre chanson en boucle en pensant à l'être tant aimé qui vient de partir, vous deviendrez son ami.* «Ain't no sunshine when she's gone.» *Cette personne saura que vous la comprenez. Vous existerez pour soulager ses peines, et, cette chanson, elle y reviendra souvent.* «Don't let me down.» *La peine d'amour est une énergie renouvelable.*

Une guitare, un stylo, un calepin, j'écris. Le jour, la nuit. Je m'abreuve à ma propre peine. Je parle de ce que je connais, de ce que j'aurai enfin connu. Je parle d'amour. Je travaille pour oublier les maux de tête, les maux d'estomac, les raideurs dans le cou, le manque d'appétit, l'*ego* démoli. Je m'occupe, en attendant de comprendre comment je faisais pour être si bien tout seul, avant elle.

☆ ☆ ☆

Karine. Ou Catherine. Dans les toilettes du Plan B. Elle a retroussé sa jupe, a déplacé sa culotte pour me faciliter l'accès et s'est écarté les jambes. J'ai glissé mon pénis sur sa fente, par-derrière, puis je l'ai pénétrée d'un coup, les pouces appuyés au creux de ses reins. Elle s'est fait jouir en se donnant de petites tapes rapides sur le clitoris. J'ai joui peu après elle, alors que sonnait mon téléphone. Elle a replacé ses vêtements, s'est lissé les cheveux puis a rejoint ses amies, pressée de leur raconter les détails. « T'as vu qui c'était ? Alex, le musicien, là, tu sais, celui qui sortait avec Sandrine ! » J'étais une anecdote, un trophée. J'ai été rejoindre Daniel et Ève qui venaient de me laisser un message, disant qu'ils seraient chez Baptiste, avec l'envie terrible de se soûler la gueule. J'ai acheté d'autres condoms en chemin et je me suis soûlé avec eux.

Une semaine avant le départ, je me suis levé en même temps que le soleil. J'avais réglé le réveil pour cinq heures trente. J'ai enfilé des vêtements de sport, j'ai bu un espresso et j'ai été courir dans les rues désertes. L'air frais du matin entrait à pleins poumons, c'était le premier jour où j'avais le courage de faire ce que je m'étais promis depuis si longtemps : course à pied, cesser de fumer.

J'ai dégueulé mon espresso à six rues de chez moi, coin Saint-Vallier et Bélanger, essoufflé au point de croire que j'allais aussi me vomir le cœur. Je me suis acheté un paquet de cigarettes sur le chemin du retour. Le temps de revenir à l'appartement, avec un point dans l'estomac ou je ne sais quel organe interne qui me faisait mal dans ce coin-là, j'avais pris une décision. Tout se mettait en place. J'ai jeté mes cigarettes en réfléchissant aux détails. Je savais enfin ce que je devais faire.

Quelques jours plus tôt, je feuilletais un guide d'achat de condominums, assis sur les chiottes. J'étais enthousiaste et décidé. L'envie d'investir intelligemment. La satisfaction de bâtir un nid douillet où il fera bon vivre. Le plaisir de décorer selon vos rêves. Aurez-vous trop de marches à grimper avec vos sacs d'épicerie ? Y aura-t-il une insonorisation suffisante ? Les portes d'armoires ouvrent-elles dans le bon sens ? Assurez-vous que le barbecue est toléré sur les balcons. Assurez-vous que les antennes paraboliques sont permises. Assurez-vous qu'il est possible d'installer un système d'alarme. Votre confort passe avant tout. Évitez les surprises. Vivre en condo, c'est vous bâtir une existence selon vos désirs.

Satisfaction.
Plaisir de décorer.

J'ai brisé mon bail. J'ai jeté les dépliants d'aide à l'achat de condominiums. J'ai mis en vente tout ce que j'avais, et j'ai déposé à l'Armée du Salut ce qui ne s'était pas vendu. Je n'ai gardé que l'appareillage électronique et musical qui pouvait me suivre en France. Libre, léger, sans attaches et sans amour.

Presque comme avant.

Peut-être devrais-je me réjouir. D'une certaine façon, ma relation avec Sandrine n'aura été qu'une montée vers les sommets. Je n'aurai pas connu la longue déchéance que m'ont racontée tant d'amis : ces moments où tout bascule, où plus rien ne se dit, où les blagues ne font plus rire, où le cœur est en berne et la tête est ailleurs. De l'amour, je n'aurai connu que le meilleur. Mais c'est aussi pour cette raison que j'ai tant de mal à l'oublier. Un autre que moi la fera rire, un autre que moi sera l'objet de son désir, de son admiration, elle lui donnera sa confiance et son amour, et ça me coupe le souffle chaque fois que j'y pense. Quelqu'un d'autre que moi sera là pour elle. Rien que d'imaginer un inconnu s'immiscer dans la famille de Sandrine, faire la visite du garage de son père, gagner l'affection de sa mère et l'attraction malsaine de sa sœur me donne le vertige et la nausée. Je découvre la jalousie.

Ils avaient décidé de patienter avec moi. J'ai dû expliquer à mon père que non, il n'avait pas le droit d'acheter d'alcool à la boutique hors taxes. Il ne comprenait pas pourquoi, c'était sa première visite d'un aéroport. Je lui ai offert un CD de Johnny Cash ; nous avions dû faire le trajet de chez moi jusqu'ici avec rien d'autre qu'une compilation de Garth Brooks. « Mais pourquoi je peux ramener un CD mais pas d'alcool ? »

Nous avons retrouvé mon frère, dans une boutique de souvenirs, avec un raton laveur mort sur la tête. Nous nous sommes fait prendre en photo avec des chapeaux de poil, des phoques en peluche plein les bras, par un touriste qui ne comprenait pas pourquoi nous trouvions ça drôle, convaincu qu'au Québec toute la population se drape de peaux de bêtes pour mieux passer l'hiver. « Maudit Français épais ! » a dit mon père en pouffant, avant qu'on se fasse sortir tous les trois de la boutique.

Nous sommes allés fumer dans un endroit où c'était interdit, où nous avons regardé le nouveau vidéoclip de Sandrine
sur un écran, sans le son. Mon père m'a regardé avec un sourire en coin et m'a pris par le cou en tentant de me changer les
idées. «La fille que tu t'en vas rejoindre, elle va te la faire
oublier assez vite, ta Sandrine, tu vas voir! C'est quoi son
nom, déjà?»

Quand est venue l'heure de passer les portes, mon frère
m'a serré dans ses bras et m'a souhaité bonne chance en se
frottant un œil. «T'es pas en train de brailler, là, hein? C'est
censé être moi, la moumoune de la famille!» Il m'a donné un
coup sur l'épaule en riant. «On est fiers, tu sais!» Mon père a
hoché la tête en m'envoyant la main.

Dans une boutique de journaux, je me suis acheté le *Rolling
Stone* français, les *Inrockuptibles* et quelques livres. Je me suis
arrêté devant les cartes postales. J'en ai déniché une de
Montréal sur laquelle on voyait un orignal, je l'ai achetée pour
ma mère. Mon père, avant mon départ, avait décidé de me
dire la vérité : ma mère ne chantait pas sur les bateaux de croisières, elle ne l'avait même jamais fait. Elle s'était bien rendue
jusqu'à Boston avec son pianiste et nouvel amoureux, mais,
quand était venu le temps de prendre la mer, elle s'était aperçue
qu'elle était incapable de passer plus de dix minutes sur l'eau
sans avoir la nausée. Les deux se sont acheté un bar de karaoké
dans un quartier touristique et n'ont jamais quitté Boston.

Sur le peu d'espace que me laissait la carte, j'ai inscrit un
bout d'un vieux texte de chanson qui parlait d'elle ou, enfin,
qui parlait de cette femme qui chantait sur les bateaux de

croisières. J'ai précisé que, peu importe ce qu'elle faisait aujourd'hui, je l'aimais toujours. J'ai mis la carte dans une boîte aux lettres et j'ai rejoint les autres passagers pour l'embarquement.

☆ ☆ ☆

Cet avion n'explosera pas en plein vol. Je ne mourrai pas déchiqueté par un morceau du fuselage à moins soixante-dix degrés Celsius. J'avalerai du poulet caoutchouteux en regardant un film de Ben Stiller. Je tenterai de séduire ma voisine pendant que son copain vomira son poulet caoutchouteux dans les toilettes. J'arriverai vivant à l'aéroport Charles-de-Gaulle et, même si pour moi elle sera bien différente de ce qu'elle a déjà été, comme me l'a dit mon père : « La vie continue. »

Le Stade olympique et le pont Jacques-Cartier ont disparu sous les nuages pendant que mes oreilles se bouchaient. J'avais des maux de ventre rien qu'à penser que j'arriverais à Paris au moment où Sandrine y donnait des spectacles. Je résisterai à l'envie de la revoir, mais je n'essaierai pas de l'oublier trop vite. Je la laisserai s'éloigner en douceur, comme une chanson qui se termine en *fade-out*. Et, un jour, je serai triste de n'être plus triste sans elle.